JN011039

ユーキャンの

販売士検定

リテール
マーケティング

検定

第5版

3級

速習テキスト
& 問題集

はじめに

　販売士は、流通業界で唯一の公的資格であり、特に３級販売士検定試験は、**流通・販売分野の入門資格**として、高校生や大学生、社会人など多くの方が受験する人気の資格です。

　合格のためには、試験５科目それぞれの全体像を理解した上で知識を習得し、**問題演習を多くこなし出題パターンに慣れる**ことが必要となります。

　本書籍は、生涯学習のユーキャンが通信教材の制作ノウハウを生かして編集・制作していますので、**初めて学習する方にもわかりやすく、しっかりと理解しながら実力をつける**ことができます。

　「少ない時間で効率的に学習できる書籍が欲しい」という受験生の声に応えるために、本書では**次のような工夫**をしています。

①ひと目でわかる『要点マスター』
　受験生が理解しにくい箇所は、**多くの図表を用いてわかりやすく説明**し、特に理解が必要な箇所を『要点マスター』としてまとめています。

②学習内容のアウトプットに『Let's Try 一問一答』
　レッスンごとに、学習した内容を一問一答形式の問題で確認します。レッスンを一読したら、○×問題で理解度を確認し、知識を定着させましょう。

③２回の『予想模擬試験』で学習の総仕上げ
　ひととおり学習が終了したら、２回の予想模擬試験に取り組みましょう。**本試験と同じ出題形式・レベルの問題**で、最終的な実力を確認しましょう。

④付録『重要ポイントまとめてチェック』
　各レッスンの**重要ポイントをピックアップ**してまとめています。本試験前の最終チェックにも利用できます。

　販売士の有資格者の活躍の場は広がっています。流通業界への就職を希望している方には、ぜひとも取得しておいていただきたい資格です。

　受験生の皆様が、本書をフルにご活用いただき、短期間で試験に合格されることを念願いたします。

　最後に、執筆にあたり、日本商工会議所・全国商工会連合会編「販売士ハンドブック（基礎編）」を参照させていただきましたことを、ここに記して感謝申し上げる次第です。

監修　経営教育総合研究所　代表　山口 正浩

本書の使い方

●STEP1
頻出度を確認
頻出度（★★★、★★、★の３段階）を確認しましょう。

高い ↑ ↓ 低い

頻出度
★★★

頻出度
★★

頻出度
★

●STEP2
レッスンの概要
学習のPOINTは、このレッスンで勉強する解説内容をギュッと要約したものです。レッスン内容を大まかに把握してから、本文に進みましょう。

●STEP3
本文の学習
いよいよ本文の学習です。欄外の記述やアドバイス、イラスト＆図を活用すると、より理解が深まります。

日付などを記入してくり返しの学習に役立てましょう。

一緒に学習しよう

山口先生
学習内容についてアドバイスをしていきます。合格を目指して頑張りましょう。

商子さん
皆さんと一緒に学習していきます。よろしくね。

欄外で理解を深めよう

キーワード
本文中に出てくる用語をくわしく説明しています。

プラスワン
本文では説明しきれなかったことを補い、さらに理解を深めるための追加解説です。

ステップアップ
本文の内容からさらに一歩進んだ補足解説や追加情報です。

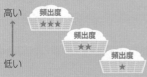

LESSON 1 小売業のマーケティングの基本

学習のPOINT

頻出度
★★★

マーケティングは「プロダクト」「プロモーション」「プライス」「プレイス」という４つのPから成り立つ。小売業のマーケティングは、マイクロ（パーソナル）・マーケティングである。

Check!

1 マーケティングの基本知識

（1）マーケティングとは

マーケティングとは、「市場において企業が自己の優位性を確立するための販売に関するさまざまな活動の革新」であるとされています。激しく変化する市場環境の中で、顧客に満足をもたらし、競争に勝ち残っていくための活動であるといえます。

マーケティングは、競争の優位性を発揮するために市場への働きかけを行い、需要を創り出す活動といえます。

（2）販売志向とマーケティング志向

販売志向とマーティング志向は似かよった内容ですが、以下のような違いがあります。

■販売志向とマーケティング志向の違い

販売志向	マーケティング志向
●目的は商品を売ること	●目的は顧客の満足
●不特定多数の消費者が対象	●特定多数の顧客が対象
●商品と代金の交換活動	●需要を創造する活動
●商品販売時点で完結	●顧客が満足すれば完結

ステップアップ
品種ごとに１～２品目程度の商品に売れ行きが集中する現象を、ガリバー型売れ行き現象という。近年よくみられるようになった。

付属の赤シートを使用すれば、赤字の重要語句を穴埋め形式でチェックすることができます。

2 メーカーと小売業のマーケティングの違い

メーカーのマーケティングと、小売業のマーケティングにはさまざまな相違点があります。それらの違いを理解した上で、効果的なマーケティングを行う必要があります。

メーカーのマーケティングは大衆を対象としたマクロ・（　　　　）であるといえます。それに対し、小売業のマーケティングは個（　　　　）を対象としたマイクロ（　　　　）・（　　　　）であるといえます。

●STEP4
レッスン末の問題にチャレンジ

学習した内容を復習し、理解度の確認をするために、○×式の「Let's Try 一問一答」に挑戦しましょう。できなかった問題は、本文に戻ってもう一度確認しておきましょう。また、【解説】には、本文にないプラスの解説もありますので、必ず読みましょう。

Let's Try 一問一答

○×問題に答え、正解したらチェックマーク ✓ を入れましょう

- □ ① 3Sは清掃・清潔・整頓である。
- □ ② 商品などの保管場所を決めて片づけることを、整理という。
- □ ③ 補充発注は、スポット発注で、時期に合わせ商品の発注をする

●STEP5
予想模擬試験(P.205〜)にチャレンジ

学習の成果を確認するために、また、本試験前の力試しとして、「予想模擬試験」に挑戦しましょう。解答後は、別冊「解答・解説編」で採点し、間違えた問題は、理解できるまで何度でも取り組みましょう。

付録「重要ポイントまとめてチェック」

各レッスンの重要ポイントを一覧でまとめています。試験直前の最終確認などに活用しましょう。

LESSON4　コンビニエンスストアにおけるマーチャンダイジング

■PDCAサイクル

計画 (Plan) → 実行 (Do) → 評価 (Check) → 改善 (Action)

EOBによって、迅速、かつ、的確な仮説・検証型の発注作業が可能となります。

2章 マーチャンダイジング

 キーワード

ノー検品
注文した商品が、品質も数量も適正に納品されたか検品作業を行わないこと。検品作業にかかる人件費や時間を削減できる。

よくある質問

 Q EOBとは何ですか?

A EOBとは、電子発注台帳という携帯端末装置です。売場で個々の品目の発注数量をEOBに入力することで、発注情報が本部を経由して仕入先企業にオンライン送信されます。また、EOBには、発注端末としての機能に加えて、発注数量の仮説を立てるために必要な情報伝達機能も組み込まれています。

要点マスター

コンビニエンスストアのマーチャンダイジングの特徴

商品計画	・商品構成は生活必需性が高く、消費サイクルが短く、購買頻度の高い商品が主体 ・多品種少品目少量の品ぞろえ
仕入計画	・売れ筋商品を少量ずつ仕入れ ・発注サイクル、リードタイムの短縮
補充発注	・定期発注システム ・EOBの活用
荷受・検品	・すぐに売場へディスプレイ
商品管理	・死に筋商品、売れ筋商品の管理 ・本部が販売データを一元管理

よくある質問

講師がこれまでの豊富な指導経験の中でよく受けた質問や、初めて勉強する人がつまずきやすい点について、Q&A方式で解説しています。

要点マスター

確実に覚えておきたい事項を整理し、箇条書きや表にまとめています。

※ここに掲載しているページは、「本書の使い方」を説明するための見本です。

目　次

本書の使い方 ……………………………………………… 4
販売士検定試験とは ……………………………………… 8
3級試験の試験科目と出題傾向 ………………………… 11

第1章　小売業の類型

Lesson 1　小売業の定義と役割 ………………………… 14
Lesson 2　組織小売業の種類と特徴 …………………… 17
Lesson 3　チェーンストアの特徴 ……………………… 21
Lesson 4　販売形態の種類と特徴 ……………………… 25
Lesson 5　インターネット社会と小売業 ……………… 29
Lesson 6　業種と業態の違い …………………………… 34
Lesson 7　店舗形態別小売業の基本知識 ……………… 37
Lesson 8　商店街とショッピングセンター …………… 44

第2章　マーチャンダイジング

Lesson 1　商品とは ……………………………………… 50
Lesson 2　商品の分類と本体要素 ……………………… 53
Lesson 3　マーチャンダイジングの基本 ……………… 57
Lesson 4　コンビニエンスストアにおけるマーチャンダイジング …… 60
Lesson 5　商品計画の基本と棚割 ……………………… 65
Lesson 6　販売計画策定の基本知識 …………………… 68
Lesson 7　仕入計画の基本と仕入先・仕入方法 ……… 71
Lesson 8　発注・物流の基本 …………………………… 75
Lesson 9　価格設定の基本 ……………………………… 78
Lesson 10　利益の構造 …………………………………… 82
Lesson 11　在庫管理の基本 ……………………………… 85
Lesson 12　販売管理の基本知識 ………………………… 89
Lesson 13　ＰＯＳシステムの活用 ……………………… 92

第3章　ストアオペレーション

Lesson 1　ストアオペレーションの基本 ……………… 98
Lesson 2　包装技術の基本 ………………………………107
Lesson 3　ディスプレイの役割と基本パターン ………115

第4章 マーケティング

Lesson 1	小売業のマーケティングの基本	124
Lesson 2	顧客満足経営と顧客維持政策	127
Lesson 3	フリークエント・ショッパーズ・プログラムとは	131
Lesson 4	商圏設定と出店の基本	135
Lesson 5	リージョナルプロモーションの役割	139
Lesson 6	インバウンド（訪日外国人）に対するプロモーション	143
Lesson 7	売場づくりの基本	149
Lesson 8	照明・光源・色彩の考え方	153

第5章 販売・経営管理

Lesson 1	販売員の基本業務	158
Lesson 2	販売員の法令知識①	163
Lesson 3	販売員の法令知識②	168
Lesson 4	販売員の法令知識③	172
Lesson 5	計数管理の基本	176
Lesson 6	販売に求められる決算データ	180
Lesson 7	売買損益の計算方法	183
Lesson 8	金銭管理と万引き対策の基本	187
Lesson 9	衛生管理の基本	191

付　録　重要ポイントまとめてチェック … 195

予想模擬試験

第1回	205
第2回	221
答案用紙　第1回	237
答案用紙　第2回	239
索引	241

〈別冊〉
予想模擬試験 解答・解説編

1 販売士は "流通業界で唯一の公的資格"

「販売士」は、**販売士検定試験1級、2級、3級の合格者**に与えられる称号です。

販売士検定試験は、販売技術のみならず、消費者動向を読み取る能力など、ビジネスに必要な知識や能力を身につけることができる公的な資格として、**日本商工会議所**と**全国商工会連合会**が主催しています。

試験は、昭和49年にスタートして、現在も高校生や大学生、社会人など多くの方が受験する人気資格の一つです。

販売士検定試験は、3級に合格したら2級を受験するというように、合格後に上位の級を受験するだけでなく、小売業などの実務経験がある方は、3級や2級を受験せずに、いきなり1級を受験する方もいます。

"**流通業界で唯一の公的資格**" である「販売士」を取得すると、学生の方ならば、資格取得の際に得られた知識を就職活動の際にアピールすることができます。社会人の方ならば、小売業の実務や小売業への転職に活かせます。

また、大学によっては、資格取得が入試に有利になったり、企業によっては、資格取得を奨励し取得者に対しての特別の手当を支給したり、昇級や昇格の際の考課材料にプラスしたりしている企業もあります。

名刺やネームプレートに販売士の称号を記載している企業もあり、**顧客や取引先への信頼獲得に役立つ資格**となっています。

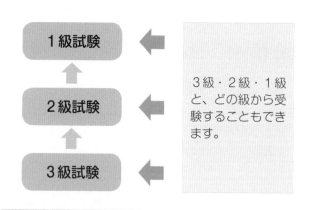

1級試験 ← 2級試験 ← 3級試験 ←

3級・2級・1級と、どの級から受験することもできます。

3級から2級、1級へと実力を確認しながら受験することもできます。

② 販売士検定試験の概要

　販売士検定は、１級から３級に分かれており、**売場の担当者・販売員などを対象とした３級試験**では、**小売店舗を運営するための基本的な仕組み、販売員としての基礎的な知識**を身につけて、販売業務に活かすことを目指します。

　売場主任、部課長など、売場を管理・監督する中堅幹部クラスを主な対象としている２級試験は、小売店舗経営の仕組みを理解し、小売業の販売技術に関する専門的な知識を身につけて、販売促進の企画や部下の指導・育成に活かすことを目指します。

　大規模小売店舗の店長や部長、中小小売業の経営者を対象とした１級試験は、小売業経営に関する高度な知識を身につけ、経営計画の立案や財務・販売の予測、部下の悩み解消など、経営・管理上の適切な判断に活かすことを目指します。

> ３級・・・流通業に就職を希望する学生や売場の販売員の方におすすめ
> ２級・・・小売店舗の責任者や販売促進・企画を担当する方におすすめ
> １級・・・小売店舗の店長や部長など経営の管理をする方におすすめ

　本書で学習する販売士３級試験は、販売士試験の登竜門です。流通業に興味のある方や高校生や大学生、売場の販売員の方やサービス業の方など幅広い層の方が受験します。

■３級販売士検定の試験概要（個人受験）

試 験 方 法	試験会場のパソコンからインターネットを介したネット試験
試 験 会 場	予約した株式会社 CBT-Solutions のテストセンター
試 験 日 時	随時可能 リテールマーケティング（販売士）検定試験　申込専用ページから、各地の受験会場を選んで受験可能な日時で試験を予約 申込専用ページ 　https://cbt-s.com/examinee/examination/jcci_retailsales
試 験 時 間	60分（休憩なし）
合 格 基 準	５科目の平均点が70点以上で、かつ１科目ごとの得点が50点以上
合 格 発 表	試験結果は試験終了後即時に判定されます。
受 験 料	4,400円（税込）※他に事務手数料550円（税込。受験者１名あたり）

※上記の記載事項は変更する場合があります。詳細は試験実施団体にご確認ください。

販売士検定試験についてのお問い合わせ先
▶商工会議所ホームページ　https://www.kentei.ne.jp/retailsales

3 出題形式・配点

(1) 出題形式

パソコンのブラウザに、1問ずつ表示された選択問題に解答します。

本書巻末に掲載している2回の予想模擬試験では、時間配分を意識し、本番の試験をイメージしながら問題を解いてみましょう。

(2) 問題数

科目ごとに20問（5科目で100問）です。

(3) 問題形式

科目ごとの20問中、前半10問が正誤問題、後半10問が文中の語句穴埋問題です。

(4) 時間配分

全体の試験時間は60分です。試験の出題科目順序は、①小売業の類型20問、②マーチャンダイジング20問、③ストアオペレーション20問、④マーケティング20問、⑤販売・経営管理20問です。休憩時間はありません。

1 小売業の類型 （正誤問題10問＋穴埋問題10問＝20問）

　流通機構における小売業の役割や定義、組織小売業（チェーン店）の種類や特徴、無店舗販売の種類と特徴、ショッピングセンターの定義や基準など、消費者が買物する媒体について学習します。定義やチェーンストアの名称など覚えることが多い科目です。

検定試験の頻出ポイント

- 組織小売業の種類と特徴
- 販売形態の種類と特徴
- チェーンストアの特徴
- 小売業の定義と役割
- ショッピングセンターの定義と種類
- ▶ チェーンストアの特徴を理解し、無店舗販売やショッピングセンターの知識部分を中心に学習しましょう。

2 マーチャンダイジング （正誤問題10問＋穴埋問題10問＝20問）

　小売業の利益に直結する商品の定義や価格設定の他、仕入・発注・物流・在庫管理、コンビニエンスストアの商品構成の特徴やPOSシステムの活用方法など、「売れる商品を、売れる時に、売れる量を仕入れる」方法を学習します。受験生が苦手とする値入や粗利益などの計算も出題されます。

検定試験の頻出ポイント

- 利益の構造
- POSシステムの活用
- コンビニエンスストアにおけるマーチャンダイジング
- 商品計画の基本と役割
- 価格設定の基本
- マーチャンダイジングの基本
- ▶ マーチャンダイジングの全体像を理解し、計算問題は繰り返し学習して、スピードアップを図りましょう。

3 ストアオペレーション （正誤問題10問＋穴埋問題10問＝20問）

　商品を発注してから、荷受・検収、売場の棚への補充までの一連の知識を学習します。また、3Sによるクリンリネス、レジの準備やミーティング、商品の包装やかけ紙・進物、接客技術など、5科目の中で実際の店舗で買物をする際に最も体感できる科目です。

- ディスプレイの基本パターン
- 日常の運営業務
- 和式の進物包装
- 開店準備
- ファッション衣料の陳列

▶ 冠婚葬祭で用いられる、和式進物包装の水引きの形式などを押さえておきましょう。また、実際に店舗で買物をする際に、商品のディスプレイや店員の接客対応を観察して知識の定着を図りましょう。

4 マーケティング（正誤問題 10 問＋穴埋問題 10 問＝ 20 問）

マーケティングの４Ｐであるプロダクト（商品）、プロモーション（販促）、プライス（価格）、プレイス（立地）など、小売業の経営に欠かせない知識を学習します。試験では、多くの小売業で実践されている、リージョナルプロモーションやＦＳＰ（フリークエント・ショッパーズ・プログラム）がよく出題されます。

- リージョナルプロモーションの役割
- 店舗照明・光源・色彩の考え方
- 商圏設定と出店の基本
- フリークエント・ショッパーズ・プログラムとは
- 小売業のマーケティングの基本

▶ 商圏内の固定客を大切にする小売業をイメージすると、全国の顧客を対象とするメーカーとの違いやＦＳＰが理解しやすくなります。

5 販売・経営管理（正誤問題 10 問＋穴埋問題 10 問＝ 20 問）

事業の許認可、環境基本法や各種リサイクル法など、販売活動や商品、販売促進や環境問題といった小売業経営の際に、必要な法律や規制を学習します。法律以外にも売買損益などの計数知識や食品の衛生管理について出題されます。

- 売買損益の計算方法
- 接客マナー
- 事業の許認可に関する法規
- 各種リサイクル法
- 衛生管理の基本

▶ 法規では商品の安全性や品質、期限などの表示規格がよく出題されています。接客マナーの敬語の学習については、実際に会話の中で使いながら覚えましょう。

第 **1** 章

小売業の類型

Lesson 1 小売業の定義と役割

Lesson 2 組織小売業の種類と特徴

Lesson 3 チェーンストアの特徴

Lesson 4 販売形態の種類と特徴

Lesson 5 インターネット社会と小売業

Lesson 6 業種と業態の違い

Lesson 7 店舗形態別小売業の基本知識

Lesson 8 商店街とショッピングセンター

小売業の定義と役割

学習のPOINT

頻出度
★ ★

小売業は流通経路の中で最終消費者に最も近い位置にあり、製造業（消費財メーカー）に代わって消費者への販売代理をし、最終消費者に代わって購買代理をする。

1 小売業とは？

（1）小売業の定義

　販売士で学ぶ流通業には小売業と卸売業があり、どちらも生産者（メーカー）と消費者との間をつなぐ役割を持っています。小売業と卸売業の違いは、販売先の違いです。小売業は流通の最終段階で消費者に商品を販売し、卸売業は他の卸売業や小売業に販売をします。

■消費財の流通経路

製造業（消費財メーカー）　→　卸売業　→　小売業　→　最終消費者

　しかし、はっきりと分かれているわけではなく、経済産業省が行っている商業統計調査（現　経済センサス-活動調査・経済構造実態調査）では、主に次の業務をする事業所を小売業としています。

■小売業の事業所

個人または家庭用消費者のために商品を販売する事業所
商品を販売し、かつ、同種商品の修理を行う事業所
製造小売（自店で製造した商品をその場所で個人または家庭用消費者に販売）する事業所
主として個人または家庭用消費者に無店舗販売を行う事業所
ガソリンスタンド（燃料小売業）
産業用使用者に少量または少額で商品を販売する事業所

🔒 キーワード

商業統計調査
全国のすべての商店（小売業・卸売業）を対象に経済産業省により実施される国の基本的な統計調査。総務省と経済産業省が実施する経済センサス-活動調査・経済構造実態調査に統合された。

産業用使用者
メーカーや工場、飲食店、サービス業など、業務用として商品を購入する業者。

（2）小売業が取り扱う商品

　小売業は通常、有形財の商品を販売します。これには、商品の配送や据え付け、修理・保守などの無形財も含まれます。

❷ 小売業の果たす役割

（1）販売代理と購買代理

　小売業は、消費財メーカーに代わって消費者へ販売する「販売代理」、消費者に代わって消費財メーカーや卸売業から購入する「購買代理」という役割を果たしています。近年は消費者ニーズの多様化により、購買代理の強化が必須です。小売業はPOSデータを活用して精度の高いマーチャンダイジングを行い、購買代理を強化しています。

■販売代理と購買代理

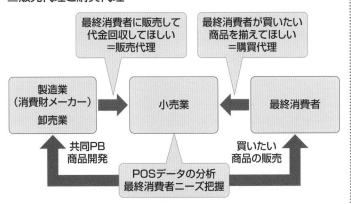

 キーワード

POSデータ
商品カテゴリー別などに単品レベルでの販売数量や金額などをリアルタイムでとらえた販売動向データ。

マーチャンダイジング
➡第2章

（2）共同商品開発

　最終消費者の最も近くにいる小売業は、POSデータを活用して最終消費者が買いたい商品や困っていることなどのニーズを把握しやすいです。小売業は、最終消費者のニーズを消費財メーカーに伝えたり、消費財メーカーと共同でPB（プライベートブランド）商品を開発したりします。

③ 中小小売業の現状

（1）中小小売業の定義

中小企業基本法では、「資本金または出資金が**5,000万円以下**ならびに常時従業員数が**50人以下**の会社および個人」を、いわゆる中小小売業としています。

（2）小売業の商店数と売上高

2014年商業統計調査によると、全小売商店数は約102万店で、1982年をピークに減り続けています。就業者数4人以下の小規模店が約49％、5人～49人の中規模店が約48.4％で約97.4％が中小店です。小規模店では、就業者数2人以下の家族経営の**パパママストア**が小売業全体の約25％を占めています。

2014年商業統計調査によると、小売業の売上高は122兆1,767億円で、2007年より約9％減少しており、1997年をピークに減少傾向が続いています。

（3）チェーン組織への加盟

ヒト・モノ・カネ・情報といった経営資源が少ない中小小売業が生き残る方法の1つに、フランチャイズチェーンやボランタリーチェーンへの加盟があります。

キーワード

パパママストア
家族経営の零細小売業
のこと。

Let's Try 一問一答

○×問題に答え、正解したらチェックマーク ☑ を入れましょう
□ ① 生産者と消費者をつなぐ役割を持っているのは、小売業だけである。
□ ② 小売業が扱う商品は、有形財のみである。
□ ③ 小売業は消費財メーカーと共同で、PB商品を開発することがある。
□ ④ 小売業は、消費者ニーズの多様化により、購買代理の強化が必須である。
□ ⑤ 中小小売業が生き残る方法の1つに、チェーン組織への加盟がある。

【解答・解説】
①× 卸売業も生産者と消費者とをつなぐ役割を持っている。／②× 有形財だけではなく、商品に付随する保守・修理などの無形財やサービスも含まれる。／③○ ／④○ ／⑤○

組織小売業の種類と特徴

学習のPOINT

単独では影響力の低い店舗でも、組織化することで大きな力を持つことができる。組織化の方法は、所有形態や店舗運営の形態、販売する商品の種類などにより分類できる。

1 組織小売業の定義と効果

（1）組織小売業の定義

　組織小売業とは、複数の店舗が同じ店舗名の看板を掲（かか）げ、仕入や運営面などにおいて、共通の基盤（きばん）を活用して商売をする方式です。主にチェーンストア形態の小売業を指します。

（2）組織小売業のメリット

①規模の経済性

　組織小売業のメリットは、同じ業種や店舗が共同することである。共同で大量仕入することで、バイングパワーが生まれて仕入単価が安くなる。また、統一的な店舗運営方法を共同開発することで、専門的な管理体制をつくることもできる。規模のメリットと呼ばれることがある

②本部集中管理

　本部が、同じような店舗を集中管理する。店舗の仕入や在庫管理、棚割、広告、他店の情報、運営マニュアルなどがある

③店舗の販売機能

　店舗は、本部のマニュアルに従って、標準化された販売活動を行っている。標準化された販売活動をすることで、ローコストオペレーション（低コストによる店舗運営）を実現する

「数は力なり」ですね。

そうだね。でも、数だけではないんだ。情報も重要なんだ。

　キーワード

バイングパワー
大量に買うことで、自社に有利な取引条件をつけることができる交渉力のこと。

② 組織小売業の分類

組織小売業は、所有形態や店舗運営の形態、販売する商品の種類などにより以下のように分類することができます。

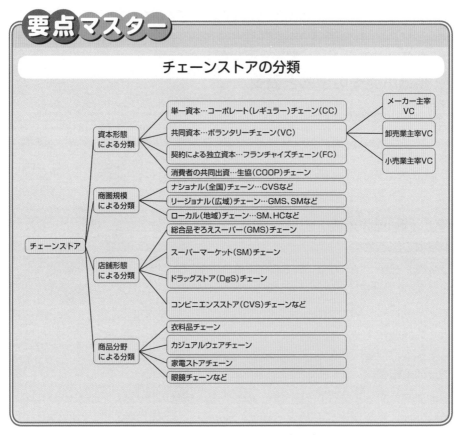

要点マスター

チェーンストアの分類

チェーンストア	資本形態による分類	単一資本…コーポレート(レギュラー)チェーン(CC)
		共同資本…ボランタリーチェーン(VC)
		契約による独立資本…フランチャイズチェーン(FC)
		消費者の共同出資…生協(COOP)チェーン
	商圏規模による分類	ナショナル(全国)チェーン…CVSなど
		リージョナル(広域)チェーン…GMS、SMなど
		ローカル(地域)チェーン…SM、HCなど
	店舗形態による分類	総合品ぞろえスーパー(GMS)チェーン
		スーパーマーケット(SM)チェーン
		ドラッグストア(DgS)チェーン
		コンビニエンスストア(CVS)チェーンなど
	商品分野による分類	衣料品チェーン
		カジュアルウェアチェーン
		家電ストアチェーン
		眼鏡チェーンなど

共同資本…ボランタリーチェーン(VC) → メーカー主宰VC / 卸売業主宰VC / 小売業主宰VC

（1）ボランタリーチェーン（VC）

ボランタリーチェーンとは、中小規模の独立系小売業が自主的に参加できる緩やかなチェーンオペレーションの形態です。組織化することで、商品の共同仕入や店舗経営ノウハウの強化を図ります。

VCはさらに小売業主宰VCと卸売業主宰VCとメーカー主宰VCに分類できます。本部に戦略立案、管理機能を集中して、加盟店は本部の指導の下で**販売促進**などの戦略を

推進します。

　VCの特徴として、①加盟店同士がつながりを持ち相互<ruby>相互<rt>そうご</rt></ruby>に助成し合う、②加盟店が本部に<ruby>権限<rt>けんげん</rt></ruby>を<ruby>付与<rt>ふよ</rt></ruby>する、③加盟店は本部から持続的投資による利益<ruby>還元<rt>かんげん</rt></ruby>を受ける権利があるということが挙げられます。

■ボランタリーチェーンの本部と加盟店の関係

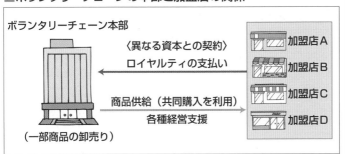

ボランタリーチェーン本部
〈異なる資本との契約〉
ロイヤルティの支払い
加盟店A
加盟店B
加盟店C
加盟店D
商品供給（共同購入を利用）
各種経営支援
（一部商品の卸売り）

キーワード

ロイヤルティ
本来は特許権使用料や著作権料の意味。流通業界では、ボランタリーチェーンやフランチャイズチェーンの本部が加盟店から毎月受け取る経営指導料のことを指す。

（2）フランチャイズチェーン（FC）

　フランチャイズチェーンとは、ある企業が異なる資本の事業者に対し、店舗ブランド名や経営ノウハウを提供する見返りに対価（ロイヤルティ）を受け取る関係です。

　加盟店のメリットは、①消費者に信頼されているトレードマーク（商標）が使用できる、②FC本部のノウハウを活用できる、③経営上のリスクが少ないということがあります。

　FC本部には、①店舗への投資が少なくて済む、②確実な収入（ロイヤルティ）、③加盟店からの情報収集ができるというメリットがあります。FC本部のことを「フランチャイザー」、加盟店のことを「フランチャイジー」と呼びます。

（3）レギュラーチェーン（RC）＝コーポレートチェーン（CC）

　本部と各店舗が同一の**資本**で結びついているチェーンのことです。<ruby>商圏<rt>しょうけん</rt></ruby>の<ruby>重複<rt>ちょうふく</rt></ruby>を避けて店舗展開することで**大量仕入**が可能になり、大型店舗の設置も可能です。

　しかし、VCやFCと違い、巨額の自己資金が必要であり、

従業員などの配置も自社で行う必要があります。運営は、本部が指導しますが、近年では、地域の特性を活かすために、権限の一部を店舗に委譲（いじょう）するケースも見られます。

？よくある質問？

Q 小売業が組織化するメリットに「情報の共有化」がありますが、なぜ消費者の情報を得ることがメリットになるのでしょうか。

A 大量仕入による「規模のメリット」だけでは、他の組織小売業との違いを出しにくくなります。消費者ニーズが多様化している現在では、消費者に売れるものを仕入れることが重要になってきます。そのためにも、消費者からの情報を得て分析することで、売れるものが何かを把握することが重要です。

Let's Try 一問一答

○×問題に答え、正解したらチェックマーク ☑ を入れましょう

□	①	ボランタリーチェーンには、小売業主宰VCや卸売業主宰VCがある。
□	②	ボランタリーチェーンでは、加盟店同士の横のつながりが強い、という特徴がある。
□	③	レギュラーチェーンは、本部と各店舗が同一の資本で結びついている。
□	④	フランチャイズチェーンでは、本部のことを「フランチャイジー」、加盟店のことを「フランチャイザー」と呼ぶ。

【解答・解説】
①○　メーカー主宰VCもある。／②○　ほかに、加盟店が本部に権限を付与する、加盟店は本部から持続的投資による利益還元を受ける権利があるという特徴がある。／③○　「同一の資本」は「単一の資本」とも呼ばれる。／④×　本部を「フランチャイザー」、加盟店を「フランチャイジー」と呼ぶ。

チェーンストアの特徴

チェーンストアは、品ぞろえや店舗運営を統一することで、ブランドイメージの統一や大量一括仕入によるバイングパワーの発揮が可能だが、顧客ニーズの変化や違いに対応しにくいという欠点がある。

1 主な特徴

　チェーンストアでは、本部が販売計画や品ぞろえ計画、仕入計画などをつくり、計画実現に必要な商品の大量一括仕入や店舗運営方法の決定をします。店舗は、本部が決めた商品を、本部が決めた店舗運営方法で販売します。

　チェーンストアには次の特徴がありますが、市場の変化や地域の違いに対応しにくいという問題点があります。

（1）バイングパワー

　全店舗で販売する商品を大量一括仕入することで、仕入のときに、仕入原価の引下げや商品開発の要請等、小売業に有利な条件をつけることができます。

（2）チェーンオペレーション

　一定の地域に多数の店舗を配置したり、広域な主要地域に店舗を点在させたりと、チェーンオペレーションの店舗出店は二分化されます。

（3）マス・マーチャンダイジング

　大量一括仕入をすると、バイングパワーにより、仕入原価を引き下げることができます。仕入原価が下がった分だけ販売価格も引き下げることで、多量販売できます。多量販売できれば商品を補充発注する回数・量が増え、チェーンの規模が拡大して店舗数が増えるので、さらに多量販売できます。

キーワード

チェーンストア
国際チェーンストア協会で「単一資本で11店以上の店舗を直接、経営管理する小売業、または飲食業の形態」と定義されている。

キーワード

チェーンオペレーション
本部の強い統制力で行う、同一形態での店舗出店や標準化された店舗の運営方法。

マス・マーチャンダイジング
計画的に低利益・高回転による大量仕入と多量販売を実施して、さらに大量の商品を市場に浸透させる仕組みのこと。

■マス・マーチャンダイジングのサイクル

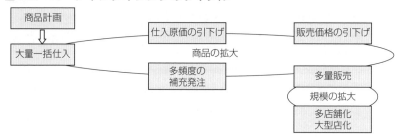

（4）自社物流センター

　仕入先企業から自社物流センターに商品を納品してもらい、各店舗に必要な商品をまとめて配送することで、店舗の作業とコストを減らします。

（5）情報システム

　POSシステム導入などによって各店舗の情報を集めて分析することや、店舗から本部への発注を効率化するために、高度な情報システムを構築します。

■チェーンストアの特徴

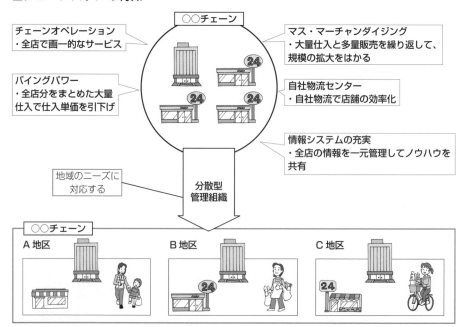

2 チェーンストアの本部機能

チェーンストアの本部機能には、次の３つがあります。

①店舗開発…画一的(かくいつてき)な多店舗展開の進行

②商品管理…商品の価格指示、陳列設定、一括集中仕入方式

③店舗運営…標準化された売場づくり、**業務マニュアル**作成

3 チェーンストアのメリットとデメリット

チェーンストアには、規模の拡大によるコスト削減などのメリットの反面、地域ごとのニーズに応えられずに地域に密着しにくいなどのデメリットもあります。

■チェーンストアのメリットとデメリット

メリット	デメリット
大量仕入による仕入コスト低減	出店トラブルの多発
店舗運営の標準化による運営コスト低下	優秀な人材の確保が困難
企業規模拡大化の資金繰りの容易性	店舗間の格差の開き
PB商品の導入可能	本部対店舗の組織環境悪化
加速度的知名度アップ	店舗運営の画一化。地域密着性の困難
広告宣伝費の削減	1店舗のリスクが全店に波及

？？よくある質問？？

Q チェーンオペレーションの業務マニュアルのメリットとデメリットを教えてください。

A 業務マニュアルのメリットとしては、チェーンオペレーションを各店舗に広めることができるということがあります。また、パートタイマーやアルバイトが短期間で業務を覚えられるということもメリットといえます。一方、市場変化への対応が遅れる、地域ごとに異なるニーズに対応できないというデメリットもあります。

チェーンストアの特徴

バイングパワー	大量仕入することで、自社に有利な条件をつけられる交渉力
チェーンオペレーション	本部が決めた業務マニュアルに従った店舗運営
マス・マーチャンダイジング	大量仕入・多量販売で得た利益で、規模の拡大をはかる

Let's Try 一問一答

○×問題に答え、正解したらチェックマーク ☑ を入れましょう

- □ ① 国際チェーンストア協会の定義によると、「単一資本で9店以上の店舗を直接、経営管理する小売業」はチェーンストアである。

- □ ② チェーンストアは、地域ごとの違いに対応しやすい組織である。

- □ ③ バイングパワーは、少量しか買わないにもかかわらず有利な取引条件をつける交渉力である。

- □ ④ チェーンオペレーションによって、顧客はどの店舗でも同じサービスを受けられる。

- □ ⑤ マス・マーチャンダイジングでは、大量仕入と多量販売を繰り返して範囲の拡大をはかる。

- □ ⑥ 自社物流センターによって、店舗の作業とコストを減らすことができる。

- □ ⑦ 業務マニュアル作成は、本部の店舗開発機能である。

- □ ⑧ チェーンストアには、地域密着性が困難なデメリットがある。

【解答・解説】
①× 国際チェーンストア協会では、「単一資本で11店以上の店舗を直接、経営管理する小売業、または飲食業の形態」をチェーンストアと定義している。／②× チェーンストアの画一的なチェーンオペレーションでは、地域ごとの違いに対応しにくい。／③× バイングパワーは、大量に買うことで有利な取引条件を取りつけることができる交渉力である。／④○ ／⑤× 「範囲の拡大」でなく、「規模の拡大」をはかる。／⑥○ ／⑦× 業務マニュアル作成は、本部の店舗運営機能である。／⑧○ 画一的なチェーンオペレーションは、地域ごとに異なるニーズに対応できない。

販売形態の種類と特徴

無店舗販売に着目しよう。特にインターネット販売を利用した販売形態は、必ず押さえておこう。

1 販売形態の種類

販売形態は、店舗販売と無店舗販売に分類できます。店舗販売は、小売業が自店の売場で直接消費者に商品を販売するスタイルのことです。それに対して、無店舗販売は、店舗を使わずに商品を販売するスタイルです。

■販売形態の種類

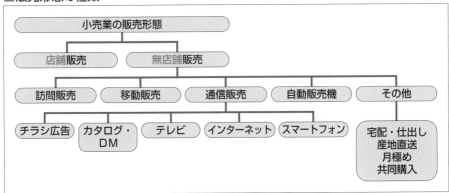

2 店舗販売

ある場所に、常時店舗を構えて商品を販売する方法です。「小売業は立地産業」といわれるように、小売業は店舗を核とした販売活動が基本です。「小売業＝店舗販売」ともいえます。

訪問販売が多く行われる農耕用品や自動車の小売業、月極め販売が多い新聞小売業を含む書籍・文房具小売業などは、店舗販売の割合が少ないです。

③ 無店舗販売の種類

無店舗販売は、以下のものが代表的です。

（1）訪問販売

訪問販売は、店舗販売に先行した販売形態なのですね。

販売員が各家庭や職場を訪問して商品を対面販売するスタイルです。訪問販売の元祖は、江戸時代以前からの「物売り」や「行商」といわれています。販売員にとっては、商圏や見込み客を絞り込むことができるメリットがあります。一方、消費者にとっては家庭や職場にいながら購入できる利便性があります。企業の社員や団体職員の職場への訪問販売は、職域販売といわれます。

訪問販売には、「対象顧客や商圏を自由に設定できる」「対面販売」「現物のデモンストレーション販売などをして、その場で売買契約を結ぶ」などの特徴があります。しかし、昼間の在宅率が下がっていることで、訪問販売が非効率な状況になっています。

（2）移動販売

移動販売は、トラックやワゴン車を使用し、商店街やビジネス街のような場所で、一時的に販売を行う形態です。産地直送の生鮮品、弁当・飲料の販売等で行われるケースがあります。

（3）通信販売

通信販売では、衣料、雑貨、食料品のほか、実用品や珍しい商品など、いろいろな商品が売られているのですね。

事業者が、カタログ、新聞・雑誌広告、テレビ、インターネットのウェブサイトなどを通じて商品の販売広告を行い、消費者が、郵便・電話・ファクス・インターネットのウェブサイトなどで意思表示をすることにより取引をする形態です。商品は、郵便小包や宅配便などを使用して配送します。特にインターネットによる通信販売は近年、急成長を遂げています。

通信販売には、新聞、雑誌、カタログなどを活用した印刷媒体方式と、テレビ、ラジオ、インターネットなどを使った電波媒体方式とがあります。どちらも立地条件に関係な

く対象顧客にアプローチできます。対象顧客に合った商品やサービスを提示するために、対象顧客リストの収集と整備、メンテナンスが必要です。

（4）ネット販売

「オンラインショッピング」とも呼ばれ、消費者はインターネットを使って事業者のオンラインショップにアクセスして購入します。また、他の販売法との組み合わせも利用されています。

総合品ぞろえスーパーが、インターネットで注文を受けた商品を宅配するサービスを、「ネットスーパー」といいます。ネットスーパーには、売場を回って商品を集めて配送する「店舗型ネットスーパー」と、倉庫の商品を集めて配送する「倉庫型ネットスーパー」があります。

■ネットスーパーのイメージ

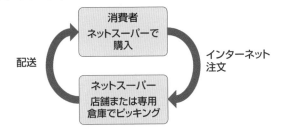

■ネットスーパーの比較

	店舗型	倉庫型
運営	●店舗の従業員	●専用倉庫の従業員
メリット	●従来の店舗や従業員を活用 ●参入が容易	●店舗から運営を切り離すため、作業スペースが取れる ●誤納率を抑える ●受注能力を増やしやすい
デメリット	●店舗でネットスーパー作業をするため作業スペースに限界がある ●売上高を一定以上に伸ばしにくい	●設備投資が大きい ●黒字化に時間がかかる ●廃棄ロスなど在庫管理が課題

（5）その他の無店舗販売形態

自動販売機販売、仕出し販売、産直販売、月極め販売、共同購入方式などがあります。

Let's Try 一問一答

		○×問題に答え、正解したらチェックマーク ☑ を入れましょう
☐	①	移動販売は、全国の店舗を移動しながら販売する。
☐	②	昼間の在宅率が上がると、訪問販売が非効率な状況になる。
☐	③	通信販売には、対象顧客リストの収集と整備、メンテナンスが必要である。
☐	④	店舗型ネットスーパーは、設備投資が大きく、黒字化までに時間がかかる。

【解答・解説】
①× 移動販売は無店舗販売に分類される。／②× 在宅率が下がると訪問販売が非効率な
状況になる。／③○ ／④× 設備投資が大きく、黒字化までに時間がかかるのは倉庫型で
ある。

LESSON 5 インターネット社会と小売業

頻出度 ★

Check!
☐ ☐ ☐

商品を確認できる実店舗と、いつでもどこでも買物できるネットショップとを融合して、顧客利便性を高める。

１ インターネットの普及

2017年において、個人の８割以上がインターネットを利用しています。スマートフォンからの利用が、パソコンからの利用を上回っています（総務省「平成30年版　情報通信白書」）。

２ 拡大する電子商取引市場とキャッシュレス対応

（1）電子商取引の拡大

電子商取引には、企業間取引の「B to B」（Business to Business）と消費者向け取引の「B to C」（Business to Consumer）、消費者間取引の「C to C」（Consumer to Consumer）とがあります。消費者に販売する役割の小売業は、ネットショッピングなどの「B to C」拡大に対応し、さらにEC化率を高めようとしています。

 キーワード

EC化率
実店舗を含む全商取引金額に対する電子商取引金額の割合。

■B to BとB to C のイメージ

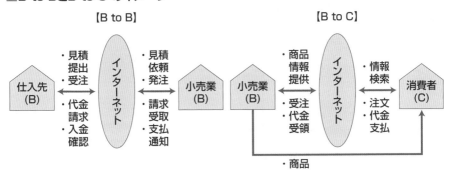

（2）ネットショッピングの普及

　ネットショッピングの個人利用率は全年代平均で7割を超え、特に買物の手間や時間を省きたい60代以上（シニア層）の個人利用率が、価格の安さや豊富な品ぞろえを求める30代や20代以下の個人利用率を上回っています（総務省「平成27年版　情報通信白書」）。取引分野には、物販系のほかに、サービス系（ネット予約、チケット販売、金融サービスなど）や、デジタル系（有料音楽・動画配信サービス、電子出版、オンラインゲームなど）があります。

■ネットショッピングをする／しない主な理由

ネットショッピングをする理由	ネットショッピングをしない理由
実店舗に出向かなくても買物できる	決済手段のセキュリティが不安
24時間いつでも買物できる	ネットショップ事業者の信頼性が低い
実店舗よりも安く買える	実物を見たり触れたりして購入したい

（3）キャッシュレス対応

　ネットショッピングなどの「B to C」を拡大したい小売業は、キャッシュレスの決済方法に対応します。キャッシュレスとは、現金ではなく、小切手・口座振替・クレジットカードなどを利用して買物の代金を決済することです。

　キャッシュレス決済には多くのメリットがありますが、クレジットカードのIC化や決済端末の整備など、カードの不正利用を防ぐ課題があります。

🔒 キーワード

キャッシュレス
経済産業省では「物理的な現金（紙幣・硬貨）を使用しなくても活動できる状態」と定義している。

■キャッシュレス決済のメリット

メリット	内容
会計処理が楽になる	●レジ操作の要員や手間、ミスが減る ●スムーズな決済ができる
現金管理の手間が省ける	●現金と売上額などを照合するレジ締め処理不要 ●売上がすべてデータ化される ●人間による現金授受が発生しない
客数・客単価の向上が期待できる	●顧客は手元現金がなくても商品を購入できる ●小売業にとって、販売機会ロスを防げる ●訪日外国人の集客力が期待できる

③ 変化する消費者の買物スタイル

（1）リアルショップの低迷

　ネットショップなどB to Cのインターネット通販（ネット通販）が伸びることで、リアルショップ（実店舗）の売上高が低迷しています。

■実店舗とネット通販のメリット

実店舗のメリット	ネット通販のメリット
●商品を手に取って確認できる ●販売員の高度な接客が受けられる ●店内を歩いてショッピングが楽しめる ●こだわりの品ぞろえになっている ●買ったその場で商品が手に入る ●返品や交換がしやすい	●いつでもどこからでも購入できる ●口コミや商品レビューが見られる ●詳細な商品情報が載っている ●豊富な品ぞろえの中から選べる ●他店との価格の比較が簡単にできる ●クーポンや特典が多い

（2）ショールーミングとWebルーミング

　ショールーミングは、実店舗を、商品のショールームのように利用する買物スタイルです。実店舗で商品の特徴や在庫を確認し、低価格のネット通販で購入します。商品を手に取って確認できる実店舗のメリットと、安く購入できるネット通販の特徴とを掛け合わせた買物スタイルです。

　Webルーミングは、インターネットのWebページを、商品検索に利用する買物スタイルです。Webページで検索や情報収集した商品を実店舗で最終確認し、店舗で購入します。商品を手に取って確認できる実店舗のメリットと、素早く情報検索できるWebサイトの特徴とを掛け合わせた買物スタイルです。

■ショールーミングとWebルーミング

名称	商品・情報検索	商品実物確認	購入
ショールーミング	実店舗・Webサイト	実店舗	ネット通販・Webサイト
Webルーミング	Webサイト	実店舗	実店舗

？よくある質問？

Q Webルーミングには、どんなメリットがありますか？

A Webルーミングには次のメリットがあるといわれています。

● 商品の感触や在庫状況を確認できる

● 送料を払いたくない

● 商品が届くまで待てない

● 合わないときに返品しやすい

（3）オンラインとオフラインとの融合

　ショールーミングやWebルーミングのように、インターネットに接続したオンライン状態のネット通販と、インターネットに接続していないオフライン状態の実店舗を融合させて顧客の購入を促進することを O2O といいます。たとえば、実店舗で使えるクーポンをネット通販で配信し、Webルーミングを促進することなどはO2Oの１つです。

（4）ネット通販に対抗する小売業

　O2Oのように実店舗とネット通販が融合するのではなく、ショールーミングで実店舗に来た顧客に、次のようなサービスを提供して、そのまま実店舗で購入してもらうのが、ネット通販への対抗です。

①商品の疑似体験

　VR（仮想現実）やAR（拡張現実）により商品を使用している様子を疑似体験できる

②シミュレーション

　専用アプリに自室の写真を取り込むと、壁紙やカーテンなどを変更したシミュレーションができる

　疑似体験やシミュレーションで商品の使用感を確認した消費者は、商品が届くまで待てなくなり、そのまま実店舗で購入する可能性が高くなります。

VR（仮想現実）
仮想世界に現実の人間の動きを反映させ、現実ではないが、現実のように感じさせる技術のこと。

AR（拡張現実）
現実の世界の一部に仮想の世界を反映させる技術のこと。

（5）オムニチャネル

オムニチャネルとは、実店舗とネット通販との区別をつけずに、あらゆる販売チャネルを統合して、どの販売チャネルからも顧客が同じような利便性で商品の注文、受取り、支払い、返品などの方法を組み合わせることができる流通環境です。オムニには「すべての・全体の」といった意味があります。オムニチャネルで、「テレビで知った商品を実店舗で注文して自宅で受け取る」など、注文や受取りの方法を自由に組み合わせることで顧客の利便性を高めます。全国的な店舗網を持つ大規模小売店や、多様な提携が可能なネット通販主体の企業などに向いています。

キーワード

オムニチャネル
実店舗・通販カタログ・DM・ネット通販・モバイルサイト・SNS・コールセンターなど、複数の販売経路や顧客接点を連携して顧客の利便性を高め、多様な購買機会を作り出すこと。

■オムニチャネルの組み合わせ要素例

商品を選ぶ	商品を注文する	商品を受け取る	代金を支払う
●実店舗 ●ネット通販 ●テレビ ●ラジオ ●カタログ	●ネット通販 ●電話 ●実店舗 ●郵便 ●電子メール	●自宅受取り ●実店舗で受取り	●現金払い ●コンビニ払い ●口座振替 ●クレジットカード ●小切手 ●ポイント決済

Let's Try 一問一答

○×問題に答え、正解したらチェックマーク ☑ を入れましょう

☐ ① 電子商取引の拡大に対応すると、EC化率は低くなる。

☐ ② 物理的な現金（紙幣・硬貨）を使用しなくても活動できる状態をキャッシュレスという。

☐ ③ 実店舗で商品の特徴や在庫を確認し、低価格のネット通販で購入する購買行動をWebルーミングという。

☐ ④ 実店舗で使えるクーポンをネット通販で配信し、実店舗での購入を促進することはO2Oの１つである。

【解答・解説】
①× 電子商取引の拡大に対応すると、EC化率は高まる。／②○ キャッシュレスでは、現金ではなく、小切手・口座振替・クレジットカードなどを利用して買物の代金を決済する。／③× Webルーミングではなく、ショールーミングである。／④○ ネット通販と実店舗を融合させて顧客の購入を促進することをO2Oという。

業種と業態の違い

学習のPOINT

頻出度
★★

業種は「売る商品」による分類で、「業態」は「売り方・経営方法」による分類である。一般に、顧客の立場に立って販売方法や品ぞろえを工夫する業態志向の小売業の業績がよい。

1 業種と業態

キーワード

業種
取り扱う商品で商売を分類すること。

業態
顧客の立場を重視し、顧客が買いやすい仕組みをつくること。

　業種とは、「何を売るか」によって小売業を分類するものです。「肉屋」「魚屋」「靴屋」などのその店舗が取り扱っている商品による分類です。

　業態とは、「どんな店舗運営をするか」「どんな品ぞろえをするか」「どんな販売方法をするか」など、売り方で分類するものです。特定のニーズを抱く消費者に対して、どのような商品やサービスを、どのような方法や仕組みで提供するのか、という経営方法を基準として分類されます。

2 業種店と業態店

　業種店は取り扱う商品で分類した店舗です。業態店は顧客の立場を重視し、顧客が買いやすい仕組みで分類した店舗です。「顧客の立場を重視」し「顧客が買いやすい」ようにするために、自店が「誰の（標的）」「どのような生活シーンに対して（目的）」「どのような組み合わせや仕組みを提案するか（編集）」を明確にします。

■業種店と業態店

業種店
商品発想

業態店
顧客ニーズ発想の販売方法

③ 業態店となる理由

　小売業が生き残るためには「顧客ニーズを把握して対応する力」が必要です。顧客は自分にとって価値のある商品しか購入しないようになっています。生活パターンや嗜好性が多様化し、またその変化が早いのも特徴です。そのような顧客に商品を買ってもらうためには、顧客ニーズを常に把握し、顧客が「よい」と思う商品を選んで、適切な価格で提供する対応が大切です。

　メーカーがつくったものを小売業が売るのではなく、顧客のニーズを聞き出して売れるものをメーカーにつくらせて売る、という時代になっています。

④ 専業（業種）店と専門（業態）店

　業種店と業態店とが混在しているのが専門店です。業種店の専門店を専業（業種）店といい、業態店の専門店を専門（業態）店といいます。専業（業種）店と専門（業態）店では、姿勢や商品構成などが違います。

（1）姿勢の違い

　専業（業種）店は、自店の商品を顧客に売りたいという姿勢です。対して専門（業態）店は、対面販売重視で顧客の買いたいものを提供したいという姿勢です。

（2）商品構成の違い

　専業（業種）店は、自店で専門的に取り扱う商品だけを多品目に商品構成します。対して専門（業態）店は、顧客ニーズに合わせて商品ジャンルの拡大やサービスを付加するなどして商品構成します。

（3）売上の方向性の違い

　専業（業種）店は、新規客の購買を開拓して売上を伸ばそうとします。対して専門（業態）店は、既存客のリピート購買を増やして売上を伸ばそうとします。

（4）管理の中心の違い

　専業（業種）店は、どの商品がどれくらい売れたかとい

キーワード

専門店
広義には、経済産業省で「取扱商品において特定の分野が90％以上を占める非セルフサービス（対面販売）店」と定義している。

う購買結果を管理する商品管理が中心です。対して専門（業態）店は、購買した顧客はどのようなニーズを持っていたかという購買プロセスを管理する<u>顧客管理</u>が中心です。

要点マスター

専業（業種）店と専門（業態）店の違いを理解しましょう。

専業（業種）店と専門（業態）店の比較

	専業（業種）店	専門（業態）店
姿勢	店舗の「売りたい」姿勢	顧客の「買いたい気持ち」に応える
商品構成	多品目	顧客ニーズに対応
売上の方向性	新規客の購買	リピート購買
管理の中心	商品管理・どのくらい売れたか	顧客管理・なぜ売れたか

Let's Try 一問一答

○×問題に答え、正解したらチェックマーク ☑ を入れましょう

- □ ① 「肉屋」「魚屋」という分類は、業態の分類である。
- □ ② 業種店は顧客の立場を重視する。
- □ ③ 業態店は標的を明確にする。
- □ ④ 広義の専門店は、取扱商品において特定の分野が80％以上を占めていればよい。
- □ ⑤ 専業（業種）店は、品ぞろえが少品目である。
- □ ⑥ 専門（業態）店は、同じ顧客のリピート購買で売上を拡大する。
- □ ⑦ 専業（業種）店は、顧客管理が中心である。

【解答・解説】
①× 「肉屋」「魚屋」などの商品による分類は、業種の分類である。／②× 顧客の立場を重視するのは業態店である。／③○ 業態店は、自店が「誰の」「どのような生活シーンに対して」「どのような組み合わせや仕組みを提案するか」を明確にすることが必要である。／④× 広義の専門店は、経済産業省で、「取扱商品において特定の分野が90％以上を占める非セルフサービス（対面販売）店」と定義している。／⑤× 専業（業種）店は、多品目の商品構成である。／⑥○ ／⑦× 顧客管理が中心で、リピート購買につなげるのは専門（業態）店である。

店舗形態別小売業の基本知識

学習のPOINT

頻出度
★★★

Check!

顧客ニーズに合わせて店舗形態も多様化する。高級品を扱う百貨店や、ワンストップショッピングの総合品ぞろえスーパー、DIYのホームセンター、H&BCのドラッグストアなどがある。

1 百貨店

高級感のあるサービスを基本として、多種多様な商品を販売する大規模小売店が百貨店です。衣料品関連を主力に、服飾雑貨や室内用品、ギフト用品が中心ですが、主要駅前に立地する特性を生かして、勤め帰りのOLや来店客を対象に、惣菜や生鮮食料品などの食品部門にも力を入れています。

(1) 委託販売から自主マーチャンダイジングへ

百貨店では、仕入先に売場を貸す委託販売が多く見られます。百貨店の委託販売では、仕入先からの派遣店員が販売し、在庫を抱えるリスクがないというメリットがあります。しかし、販売業務の一切を仕入先企業に任せるため、百貨店が消費者ニーズを直接くみ取ることが難しいことや、百貨店としての一貫性を失うなどのデメリットがあ

■委託販売と自主マーチャンダイジング

	仕入先企業	百貨店	顧 客
従来の委託販売	商品 → 派遣店員 → ← 顧客ニーズ情報		
自主マーチャンダイジング	商品 買取仕入 → 百貨店店員	← 顧客ニーズ情報	

🔒 キーワード

自主マーチャンダイジング

百貨店自らが商品を仕入れ、在庫リスクを負いながら、顧客ニーズに合った商品を品ぞろえする。

キーワード

外商部門
顧客を訪問販売する部門。企業対象の法人外商と、個人対象の個人外商があり、最近では法人外商の売上が減少している。

キーワード

ワンストップショッピング
1つの店舗で、必要な商品をまとめて購入すること。

モータリゼーション
自家用車が大衆に普及すること。

スーパーセンター
アメリカのウォルマートが開発した店舗形態。衣食住の商品をフルラインでそろえ、家庭で消費される商品のワンストップショッピングをねらっている。

ステップアップ

PB商品は、小売業などがメーカーに必要量を生産委託し、小売店などの名前をもって販売される商品。通常、粗利益率が高くなる。

ります。デメリットを克服するために、最近では**自主マーチャンダイジング**に取り組む百貨店が増えています。

（2）外商部門

百貨店には顧客に訪問販売する「**外商部門**」があります。

（3）百貨店の店舗展開

百貨店は多店舗展開をしていますが、チェーンストアと異なり基本的に店舗ごとに運営をしています。仕入先や販売方法は店舗ごとに独立しており、本部が集中管理しないことが特徴です。

2 総合品ぞろえスーパー（SuS）

日本の総合品ぞろえスーパーは、アメリカのGMS（General Merchandise Store）を日本流にアレンジした店舗形態で、重層式の建物に衣食住の日常商品をフルラインで品ぞろえし、顧客に**ワンストップショッピング**の利便性を提供しています。本部と店舗が同じ資本で運営されるレギュラーチェーン（企業型チェーン）が多く、**規模のメリット**を活用し、本部で多品種の商品を大量に仕入れ、店舗では店長が品ぞろえや売場構成を決定します。これを**マス・マーチャンダイジング**といいます。

（1）駅前の商業集積地から郊外へ

総合品ぞろえスーパーは、駅前の商業集積地から郊外への店舗展開に移行しています。モータリゼーションにより、車で買物をする顧客が増えたことや、地価の高い駅前商業集積地では売場面積の拡大が望めないことが理由です。郊外に巨大な店舗を構え、幅広い商品を安価で提供することで車による来店を誘引しています。

近年は、住関連商品のシェアをホームセンターに奪われるなど、他の専門店チェーンに部門ごとのシェアを奪われています。業績の低迷が続いているため、**スーパーセンター**業態への移行や**プライベートブランド（PB）**商品の拡大・強化などに取り組んでいる企業も見られます。

■SuSのイメージ

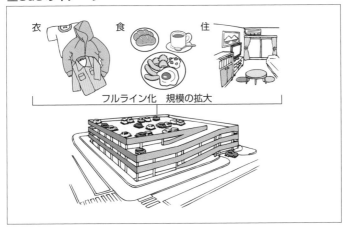

衣　　　食　　　住

フルライン化　規模の拡大

3 スーパーマーケット（SM）

経済産業省において、「専門スーパー」は店舗面積250㎡以上で、セルフサービス方式で取扱商品において衣食住のいずれかが70%を超えるものをいいます。**食品の取扱構成比が70%を超える専門スーパーが、一般的なスーパーマーケットです。**

4 ホームセンター（HC）

ホームセンターは、日曜大工（DIY）用品の大型専門店としてはじまり、その後、日用品や家庭用品、園芸用品、ペット用品へと品ぞろえの幅を広げることで、非食品系の小売業として消費者からの認知度が年々高まりました。

（1）新業態への移行

出店を加速するために、当時の大規模小売店舗法（大店法）下で出店しやすかった500㎡未満の店舗が多くありました。その後、園芸用品やペット用品、自動車用品など、取扱品目の拡大とともに店舗規模も拡大し続けています。

（2）ホームセンターの方向性

一般家庭だけでなく、建築業者や農業者というプロユーザーの需要に対応する企業や、新たにリフォーム事業に挑

戦する企業等があります。

5 ドラッグストア（DgS）

　ドラッグストアは、医薬品を主力商品としつつも、メインターゲットを女性にして、化粧品、健康食品、トイレタリー（シャンプーや洗面用具）などの品ぞろえをします。ストアコンセプトは「H&BC（ヘルス＆ビューティーケア：美と健康）」の提供です。

（1）セルフメディケーション

　セルフメディケーションとは、自分で健康管理を行うことです。ドラッグストアでは、医薬品を通じたセルフメディケーションを推進することで、「美」だけをテーマにした化粧品店と差別化しています。

（2）医薬品の販売制度

　医薬品は薬局向けの薬局医薬品と、小売店向けの一般用医薬品に分類されます。セルフメディケーション（自己治療）の支援、スイッチOTC医薬品やジェネリック医薬品推進のために、改正薬事法（現　医薬品医療機器等法）では、一般用医薬品の販売制度が見直されました。

　一般用医薬品は、副作用の強いものから第1類（胃腸薬など）、第2類（風邪薬など）、第3類（目薬など）に分類されています。第1類は**薬剤師**がいないと販売できません。第2類と第3類は薬剤師に加えて**登録販売者**がいる場合も販売できます。薬剤師や登録販売者は、名札や制服の着用が義務づけられます。登録販売者になるためには、**都道府県**が実施する試験に合格する必要があります。

スイッチOTC医薬品
医療用医薬品の成分を用いて、一般用医薬品に転用された薬である。

ジェネリック医薬品
特許が切れて、メーカーのつけたブランド名でなく一般名で呼ばれる薬である。

今後は、第1類のスイッチOTC医薬品やジェネリック医薬品を増やしていく方針です。

■ホームセンターとドラッグストア

─── ホームセンター ───	─── ドラッグストア ───
日曜大工用品から、家具、園芸用品、ペット用品、プロユーザー市場へと拡大している	医薬品と化粧品、健康食品で、女性の美と健康（H&BC）とセルフメディケーションをサポート

6 コンビニエンスストア（CVS）

　経済産業省ではコンビニエンスストアを、①セルフサービス方式で**飲食料品**を中心に扱う、②売場面積$30m^2$以上$250m^2$未満、③営業時間14時間以上としています。多くが年中無休24時間営業であり、消費者にとってのコンビニエンス＝「利便性」に応える運営を行っています。

よくある質問

 Q 総合品ぞろえスーパーとスーパーマーケットとコンビニエンスストアはどこが違うのですか？

 A 専門スーパーの定義に次のものがあります。
①店舗面積$250m^2$以上
②セルフサービス方式
③取扱商品において衣食住のいずれかが70％を超える
　上記③について、食料品が70％を超えるのがスーパーマーケットです。総合品ぞろえスーパーは、あらゆる分野の商品を総合的に品ぞろえしているので、衣食住のいずれかに偏ることがありません。また、上記①に対して、コンビニエンスストアは店舗面積$250m^2$未満です。

⑦ 消費生活協同組合（COOP）

　消費生活協同組合とは、「消費生活協同組合法」で定められた協同組合です。大きな特徴として、①消費者である組合員が出資を行う協同組合である、②利益を追求しない、③近所に住む組合員同士が班を結成して生協から共同購入を行うということがあります。働く女性の増加で昼間の不在率が高まる中、個人宅配サービスやインターネット販売に力を入れています。

要点マスター

店舗形態別小売業の特徴を示す用語

百貨店	委託販売、派遣店員、自主マーチャンダイジング
総合品ぞろえスーパー	ワンストップショッピング、プライベートブランド（PB）
スーパーマーケット	250m²以上。食品が70%を超える
ホームセンター	プロユーザー、リフォーム事業
ドラッグストア	H&BC、セルフメディケーション
コンビニエンスストア	30m²以上250m²未満。14時間以上営業
COOP	協同組合、組合員

Let's Try　一問一答

○×問題に答え、正解したらチェックマーク ☑ を入れましょう

□	①	百貨店は、衣料品関連を主力に、服飾雑貨や室内用品、ギフト用品を中心にしている。
□	②	自主マーチャンダイジングを脱却して、委託販売に取り組む百貨店が増えている。
□	③	百貨店では、全店舗を本部が集中管理している。
□	④	総合品ぞろえスーパーは、ワンストップショッピングの利便性を提供している。
□	⑤	総合品ぞろえスーパーでは、規模のメリットを活用できない。
□	⑥	総合品ぞろえスーパーは、ボランタリーチェーンが多い。
□	⑦	ホームセンターは、日曜大工用品の大型専門店としてはじまった。
□	⑧	プロユーザーの需要に対応するホームセンターがある。
□	⑨	ドラッグストアのストアコンセプトは「H&BC」である。
□	⑩	セルフメディケーションは、医師の力によって健康管理を行うことである。
□	⑪	一般的なスーパーマーケットは、食品の取扱構成比が95%を超える。
□	⑫	経済産業省では、コンビニエンスストアの営業時間は20時間以上としている。
□	⑬	消費生活協同組合は非営利ではあるが、企業法人である。

【解答・解説】
①○　／②×　委託販売を脱却して、自主マーチャンダイジングに取り組む百貨店が増えている。／③×　百貨店は、仕入先や販売方法は店舗ごとに独立しており、本部が集中管理しない。／④○　／⑤×　総合品ぞろえスーパーでは、規模のメリットを活用し、本部で多品種の商品を大量に仕入れている。／⑥×　総合品ぞろえスーパーは、レギュラーチェーンが多い。／⑦○　ホームセンターは、取扱品目の拡大とともに店舗規模も拡大している。／⑧○　建築業者や農業者、リフォーム事業者などの需要に対応している。／⑨○　／⑩×　セルフメディケーションは、自分で健康管理を行うことである。／⑪×　一般的なスーパーマーケットは、食品の取扱構成比が70%を超える。／⑫×　経済産業省では、コンビニエンスストアの要件として、営業時間14時間以上としている。／⑬×　企業法人ではなく、協同組合である。

商店街とショッピングセンター

商店街は自然発生的に店が集まった商業集積で、ショッピングセンターはディベロッパーが計画的に開発した商業集積である。商圏や規模が小さいほど最寄品中心で、大きいほど買回品中心となる。

1 商店街とショッピングセンターの違い

商業施設が集まった商業集積（しゅうせき）のうち、自然発生的に商業施設が集まって形成されたものを**商店街**といいます。ディベロッパー（土地開発業者）が、計画的に開発したものを**ショッピングセンター**といいます。ショッピングセンターは一般的に、広い敷地と多くの**駐車スペース**を持ち、大型小売店（**核店舗・キーテナント**）と複数の専門店（テナント）により巨大な商業空間をつくっています。

2 商店街の分類と機能

（1）立地場所による分類

商店街は立地場所によって分類できます。

■商店街の立地場所別分類

都市中心部（繁華街）型	都市の中心部に位置する商店街
住宅地型	住宅地に近接する商店街
門前型	神社仏閣に近接する商店街
観光地型	観光地の施設に近接する商店街
ロードサイド型	幹線道路沿いに形成された商店街

（2）商圏規模による分類

商店街やショッピングセンターといった商業集積には、規模の小さい方から、**近隣型→地域型→広域型→超広域型**の4段階があります。規模が小さいほど日用品や食品といった**最寄品**（もより）中心で、規模が大きいほどファッション衣料などの**買回品**（かいまわり）中心です。

■近隣型は最寄品をそろえ、広域型は買回品をそろえる

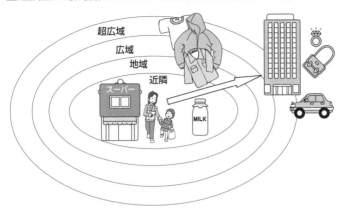

（3）商店街の空き店舗状況

　商店街実態調査（平成27年度）では、1商店街の空き店舗数や空き店舗率は若干改善したものの、今後空き店舗が増える見通しであるとする商店街が4割以上あります。

（4）商店街の主な機能

　商店街には、利便性やふれあい性などの機能があります。

空き店舗
以前店舗だったところが空きスペースになっているもの。「空き店舗数÷全店舗数×100」を空き店舗率という。

■商店街の主な機能

機　能	内　容	具体例
利便性（ワンストップショッピング）	便利な買物、交通の便利さ（行き来しやすさ）	業種構成、駐輪場、駐車場、バス停
ふれあい性、賑わい性（コミュニティ）	地域との密着度、人とのふれあい	地域住民参加型のイベント、朝市、フリーマーケット、実演販売
安全性	歩行安全性、防災・保安上の安全	街路灯、歩車道分離、アーケード、歩行者天国
情報性	買物に役立つ情報提供	商店街案内図、ミニコミ誌、BGM、ミニFM局、催事案内
快適性（アメニティ）	街の快適さ	小公園、フラワーボックス、街路樹、カラー塗装
娯楽性（アミューズメント）	飲食施設の充実、娯楽施設	飲食店、映画館、ゲームセンター、レジャーセンター
文化性	文化・伝統の活用、文化・教養施設	カルチャーセンター、展覧会、講習会、祭りなど伝統行事

③ ショッピングセンター（SC）の種類

（1）商圏規模による分類

ネイバーフッド型SC、コミュニティ型SC、リージョナル型SC、スーパーリージョナル型SCがあります。

（2）日本固有のSC形態

日本では、都市部のショッピングセンターも発展しました。

■日本固有のSC

駅ビル型SC	鉄道の駅舎に併設された駅ビル内のSC
地下街型SC	不特定多数の歩行者用地下通路に面したSC
ファッションビル型SC	ファッション分野のテナントに特化したSC

（3）特別なタイプのSC

特別なタイプには、アウトレットモールやエンターテインメントセンターがあります。

■特別なタイプのSC

アウトレットモール	アウトレットストアが集積したディスカウント型のSC
エンターテインメントセンター	市場の持つ賑わいや祝祭性を前面に打ち出したSC

④ ショッピングセンターの基準

ショッピングセンターには、コミュニティ施設としての都市機能が求められており、日本ショッピングセンター協会には、小売業の店舗面積1,500㎡以上、核店舗を除くテナントが10店舗以上、核店舗の面積がSC面積の80％程度を超えない、テナント会等で広告宣伝や催事の共同活動をする、などの基準があります。テナントの構成や配置、営業時間によって、集客効果が変わります。

キーワード

ネイバーフッド型SC
SMやDgSなどを組み合わせた近隣型のSC。

コミュニティ型SC
SuSが核店舗となる郊外の地域型SC。

リージョナル型SC
百貨店・SuS・専門店などと一体化した広域型のSC。

スーパーリージョナル型SC
複数百貨店、大規模核店舗と専門店がある超広域型SCのこと。

アウトレットストア
サンプル品や型落ち品、過剰生産品などの在庫品を割安で処分する店舗である。

Let's Try 一問一答

○×問題に答え、正解したらチェックマーク ☑ を入れましょう

- ☐ ① ディベロッパーが、計画的に開発した商業集積を商店街という。

- ☐ ② ショッピングセンターには駐車場がある。

- ☐ ③ 空き店舗率は「全店舗数÷空き店舗数」で算出する。

- ☐ ④ 集客の中心になるテナントを核店舗といい、その他のテナントをキーテナントという。

- ☐ ⑤ 商業集積は、地域型より近隣型の方が規模が小さい。

- ☐ ⑥ ショッピングセンターは、核店舗を含むテナントが10店舗以上必要という基準がある。

【解答・解説】
①×　ディベロッパーが、計画的に開発した商業集積をショッピングセンターという。／②
○　／③×　空き店舗率は「空き店舗数÷全店舗数×100」で算出する。／④×　核店舗もキーテナントも、集客の中心になるテナントである。／⑤○　小さい方から、近隣型→地域型→広域型→超広域型である。／⑥×　核店舗を除くテナントが10店舗以上である。

第**2**章

マーチャンダイジング

Lesson 1 商品とは

Lesson 2 商品の分類と本体要素

Lesson 3 マーチャンダイジングの基本

Lesson 4 コンビニエンスストアにおける
マーチャンダイジング

Lesson 5 商品計画の基本と棚割

Lesson 6 販売計画策定の基本知識

Lesson 7 仕入計画の基本と仕入先・仕入方法

Lesson 8 発注・物流の基本

Lesson 9 価格設定の基本

Lesson 10 利益の構造

Lesson 11 在庫管理の基本

Lesson 12 販売管理の基本知識

Lesson 13 POSシステムの活用

商品とは

商品には、「目に見えない」ものも含まれ、一次品質、二次品質、三次品質の3要素がある。

1 商品の種類

商品とは、企業に利益をもたらす目的で生産され、「市場」で売り買い（取引）されるモノのことです。商品は**物財（モノ）**だけではありません。**サービス、システム、情報、権利、技術**も商品に含まれます。

これらの商品は、購入者（消費者）には「便益（有用性）、効用（満足）」を与え、生産者や販売者に「収益（利益）」を与える点で共通しています。

■商品の種類

商品	具体例
物財（モノ）	車、パソコン、衣服、宝石、野菜、魚　など
サービス	宅配便、旅行代理店　など
システム	インターネット、電子メール　など
情報	天気予報、新聞　など
権利	キャラクター使用権、著作権　など
技術	特許 、実用新案　など

2 商品の品質3要素

商品の品質とは、消費者に満足をもたらす性質のことをいいます。品質は3つの要素に分けることができます。

（1）一次品質

消費者がその商品に求める基本的な**機能・性能**のことで、役に立つかどうか（有用性）に関わるものです。冬の洋服なら「着て暖かい」になります。

（2）二次品質

　その商品が消費者の生活スタイルや感性に合っているか（フィット感）を示すものです。洋服なら「デザイン」となります。

（3）三次品質

　消費者がその商品に求める**社会的な評判**（社会的評価）です。洋服であれば流行性やブランドとなります。

■品質3要素

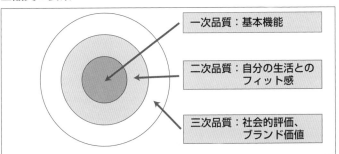

一次品質：基本機能	
二次品質：自分の生活とのフィット感	
三次品質：社会的評価、ブランド価値	

> ブランドは、消費者へのメッセージを伝えるための重要なシグナルで、ブランドネームやブランドマークがあります。

③ 商品コンセプト

　商品コンセプトとは、商品の持つ概念（がいねん）や主張のことをいいます。消費者ニーズに対して、どのような満足を提供するかを明確にアピールするために、商品コンセプトを設定します。商品コンセプトを消費者に伝え、理解してもらうことが重要となります。

ステップアップ
商品コンセプトの設定には、商品の内容や効用など「意味」を持たせることが重要。

？よくある質問？

Q 商品コンセプトを消費者に伝えるにはどのようにしたらよいですか？

A 消費者にどのような満足をもたらすのかを明確にすることが重要です。具体的には、その商品にふさわしい商品名（ネーミング）と価格をつけ、ふさわしい売場や売り方を明確に設定し、わかりやすい商品説明や内容が伝わる表示をする必要があります。

要点マスター

商品の品質３要素と３つの適合性

商品の種類		物財（モノ）、サービス、システム、情報、権利、技術
商品の品質 ３要素	一次品質	基本機能
	二次品質	自分の生活とのフィット感
	三次品質	社会的評価、ブランド価値

Let's Try 一問一答

○×問題に答え、正解したらチェックマーク ☑ を入れましょう

☐ ① 天気予報などの「情報」は、商品に含まれない。

☐ ② 商品は生産者や販売者に便益（有用性）を与え、購入者に収益を与える。

☐ ③ 一次品質は、消費者がその商品に求める基本的な機能・性能である。

☐ ④ 商品の品質のうち、「流行性やブランド」は、二次品質に該当する。

☐ ⑤ 二次品質とは、消費者の生活スタイルでのフィット感に通じる質的要素である。

☐ ⑥ 商品コンセプトとは、商品の持つ概念や主張のことである。

【解答・解説】
①× 「情報」は商品に含まれる。／②× 購入者に便益を与え、生産者や販売者に収益を与える。／③○ ／④× 「流行性やブランド」は、三次品質に該当する。／⑤○ ／⑥○

LESSON 2　商品の分類と本体要素

> 商品は消費者の購買行動から、最寄品・買回品・専門品の3つに分類される。また、商品の本体要素は、機能・性能・デザインなどから成り立ち、全体として消費者に満足を与える。

1 制度分類

商品は、国や国際的な標準で統一的に決められた基準で分類されます。代表的な基準には、以下の3つがあります。

① 日本標準商品分類

日本で生産される商品を統計的に把握するときに使われる分類基準

② 日本標準産業分類

卸売業や小売業など産業レベルの経済統計で使われる分類基準

③ 日本標準職業分類

労働や就業の状況を把握するために使われる分類基準

🎁 **プラスワン**

日本標準商品分類・日本標準産業分類・日本標準職業分類は総務省の所管。

2 消費者の購買行動による慣用分類

マーケティング学者のコープランドは、消費者が商品をどのような買い方をするか（購買習慣）によって、以下の3つに分類しました。

（1）最寄品

最寄品は、比較的安価で経験的に品質や内容を知られており、使用頻度、消耗頻度、購買頻度が高い商品です。一般に、顧客は住居に比較的近いところで時間や労力をかけずに購入します。

（2）買回品

買回品は、比較的高価で、いくつかの店舗を回って品質や価格などを比較・検討して購入する商品です。顧客は、

最寄の店で買うから「最寄品」、店を回って買うから「買回品」、専門家に聞いて買うから「専門品」ですね。

その商品の購買や使用の目的を比較的よく知っており、店舗間で十分に比較検討した後、商品を購入します。

（3）専門品

専門品は、価格がかなり高く、購買頻度はきわめて低い商品です。顧客は購買決定するまでに多くの時間と手間をかけて商品を購入します。

■最寄品・買回品・専門品の比較

	最寄品	買回品	専門品
購買頻度	高い	中	低い
購入にかける時間	短い	中	長い
価　格	安い	中	高い
商品例	食料品・日用品	衣料品・パソコン	住宅・車

3 商品の本体要素

（1）機能と性能

商品は、消費者に求められる「機能」を持っていなければなりません。消費者は、その機能の程度である「性能」が高ければ、より高い満足を得ることができます。

■「機能」と「性能」の具体例

商　品	機　能	性　能
包　丁	食材を切る	よく切れる
清涼飲料	のどの渇きを癒す	爽快感の高い
洗濯機	衣料をきれいに洗濯する	汚れ落ちの優れた

（2）デザイン（意匠）

商品は、機能や性能が優れているばかりでなく、人を引きつける美しさや魅力を持つことが必要です。商品の二次品質を向上させ、商品の差別化を図るために、形状や模様、色彩などのデザインを施します。

①意匠登録制度

優れたデザインは、商品を差別化する有効な手段である。そのため真似されないように、意匠登録制度によって保護

機能や性能は商品の一次品質に当たります。商品を構成する最も基礎的な要素です。

意匠
物品の形状、模様もしくは色彩、または、これらの結合であって、視覚を通じて美感を起こさせるもの。

されている

　意匠登録を受けた商品は、その意匠とそれに類似する意匠を独占的、排他的に商品に利用する権利が得られる

②グッドデザイン賞（デザイン推奨制度）

　グッドデザイン賞とは、一定水準の価格で美的価値などのある商品を選定してグッドデザイン商品（Gマーク商品）であることを推奨する制度。Gマーク商品はすべての分野の商品を対象としている

（3）ブランド

　ブランド（商標）は、商品に価値や意味をつけることで、消費者がその商品を記憶し、自社製品を選択しやすくさせる有効な手段です。よって、ブランドネームやブランドマークは、消費者に覚えてもらえるように、シンプルで読みやすく、親しみやすいものが選定されます。

　また、ブランドの価値が高まれば、競合他社との価格競争から逃れることもできます。

　ブランドを顧客に認識・浸透させるための活動をブランディングといいます。プレスリリースやポスター、CM、キャンペーンなどはブランディングの活動です。

■ブランドネームとブランドマーク

ブランドネーム	他社の商品と区別して自社商品を認知、記憶させ、商品選択を優位に導くブランドの中核
ブランドマーク	商品本体や包装、広告、社内封筒・便箋などあらゆる印刷物につけられ、消費者に視覚的印象を与えるもの

2章 マーチャンダイジング

消費者の購買行動による慣用分類

最寄品	比較的安価で、使用頻度、消耗頻度、購買頻度が高い商品
買回品	比較的高価で、いくつかの店舗を回って比較・検討して購入する商品
専門品	価格がかなり高く、購買頻度がきわめて低く、購買決定するまでに、多くの時間と手間をかけて購入する商品

Let's Try 一問一答

○×問題に答え、正解したらチェックマーク ☑ を入れましょう

☐	①	日本で生産される商品を統計的に把握する際の商品分類は、「日本標準産業分類」を活用する。
☐	②	消費者の購買習慣から商品を分類すると、消耗品、普及品、高額品の3つである。
☐	③	最寄品とは比較的高価な商品であって、いくつかの店舗を回って比較・検討してから購入する商品をいう。
☐	④	「包丁は食材を切る」というのは商品の機能のことである。
☐	⑤	意匠登録を受けた商品は、その意匠を独占的、排他的に商品に利用できる権利を受けられる。
☐	⑥	Gマーク商品は、家庭用品を除くすべての分野の商品を対象としている。

【解答・解説】
①× 「日本標準商品分類」を使う。／②× 最寄品・買回品・専門品の3つである。／③×
問題文は、買回品の特徴である。／④○ ／⑤○ ／⑥× 家庭用品も含まれる。

マーチャンダイジングの基本

学習のPOINT

頻出度 ★★★

マーチャンダイジングとは、商品を品ぞろえして、顧客に対して販売する業務をいう。品ぞろえ業務と販売業務は日々繰り返して行われるので、サイクル状の循環プロセスという形で表される。

1 マーチャンダイジングの構成要素と全体像

マーチャンダイジングは、商品計画・販売計画を起点として以下のように活動（業務）が行われます。

■マーチャンダイジングの構成要素と全体像

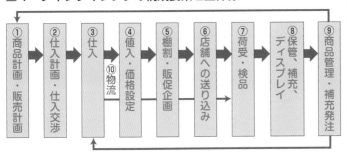

①商品計画・販売計画　②仕入計画・仕入交渉　③仕入　⑩物流　④値入・価格設定　⑤棚割・販促企画　⑥店舗への送り込み　⑦荷受・検品　⑧保管、補充、ディスプレイ　⑨商品管理・補充発注

プラスワン
マーチャンダイジングは、「商品化政策」「商品計画」とも呼ばれている。

（1）商品計画・販売計画（本部）

どのような顧客が、何を望んでいるかを考えて、望みをかなえる商品構成と販売を計画します。

（2）仕入計画・仕入交渉（本部）

商品計画・販売計画によって構成された商品を、どの取引先企業から、いつ、いくらで、どれだけ仕入れるかを計画します。

（3）仕入（本部）

商品計画・販売計画と仕入計画に基づいて、商品を仕入先企業から仕入れます。

（4）値入・価格設定（本部）

仕入価格に、利益となる一定額あるいは率（値入額・値入率）を加えて、販売価格を設定します。

（5）棚割・販促企画（本部）

　主に定番商品を陳列する棚（ゴンドラ）のスペース配分を決めたり、一斉に販売促進を実施したりしています。スペース配分は棚割表にまとめます。

（6）店舗への送り込み（本部）

　本部が仕入れた商品を、各店舗に納品します。

（7）荷受・検品（店舗）

　発注した商品や本部から送り込まれた商品が納品されたときに店舗で立ち会う作業です。納品された商品が間違っていないか、数量が合っているかなどをチェックします。

（8）保管、補充、ディスプレイ（売価変更）（店舗）

　倉庫に保管した商品を、棚割表に従って売場にディスプレイし、売れ行きが不振な商品は売価変更で値下げします。

（9）商品管理（在庫管理・販売管理）・補充発注（店舗）

　売場にディスプレイした商品が、何個残っていて（在庫管理）、どの商品がいくらで何個売れたのか（販売管理）を把握します。なぜ売れたのか、なぜ売れ残ったのかの原因を検討し、次の商品計画・販売計画や仕入計画に活かします。主に定番商品の在庫が少なくなったら、補充するために補充発注をします。

（10）物　流

　仕入先企業や物流業者などが小売業の店舗や物流センターに商品を届けます。届ける業務のことを配送（納品）といい、商品を受ける業務を荷受といいます。

物流では正確かつ安全に商品を配送することが重要です。

■**物流の流れ**

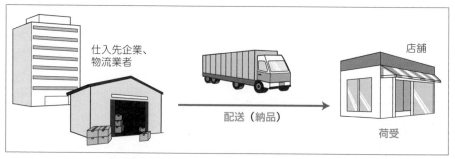

仕入先企業、物流業者

配送（納品）

店舗

荷受

2章 マーチャンダイジング

要点マスター

マーチャンダイジングの構成要素

本部		店舗	
①商品計画・販売計画 ②仕入計画・仕入交渉 ③仕入	④値入・価格設定 ⑤棚割・販促企画 ⑥店舗への送り込み	⑦荷受・検品 ⑧保管、補充、ディスプレイ ⑨商品管理・補充発注	⑩物流

Let's Try 一問一答

○×問題に答え、正解したらチェックマーク ☑ を入れましょう

☐ ① 商品計画・販売計画に基づき適正量を品ぞろえし、顧客に販売する一連の業務活動をマーチャンダイジングという。

☐ ② マーチャンダイジングは、品ぞろえ業務と顧客管理業務を日々、交互に繰り返して行う。

☐ ③ マーチャンダイジングの諸活動は商品の「仕入」を起点とする。

☐ ④ 「仕入計画」は財務計画に基づき作成しなければならない。

☐ ⑤ 「ディスプレイ」を実施するに当たっては、棚割表に従って、売場にディスプレイする。

☐ ⑥ チェーンストアのマーチャンダイジング業務のうち、「棚割」の立案は、店舗が実施する。

【解答・解説】
①○ ／②× 品ぞろえ業務と販売業務である。／③× 商品計画・販売計画を起点とする。
／④× 商品計画・販売計画に基づき作成する。／⑤○ ／⑥× 本部が実施する。

コンビニエンスストアにおけるマーチャンダイジング

学習のPOINT

頻出度
★★★

コンビニエンスストアは、多品種少品目少量の品ぞろえで、売場効率を高める工夫を行っている。在庫量の少なさを補うため、多頻度少量発注に対応する多頻度小口物流の仕組みが整っている。

1 商品計画

（1）商品計画の基本

　コンビニエンスストアは、約100m²の店舗に約3,000品目の品ぞろえをしています。取り扱っている商品は、弁当やおにぎり、飲料、酒類、雑誌など日常生活において生活必需性が高く、消費サイクルが短く、購買頻度の高い商品を主体にしています。

　約3,000品目のうち、約3分の2を1年間という短期間で新商品などに入れ替え、常に商品の新鮮さを維持することで、顧客に飽きさせない品ぞろえが商品計画の基本となっています。

（2）商品政策の考え方

　コンビニエンスストアの本部は、弁当、惣菜、飲料水などの品種（商品カテゴリー）構成を行い、さらに、顧客のライフスタイルに合わせて品目、単品への商品構成を行います。たとえば、「飲料水」という品種を「日本茶」「コーヒー」「乳飲料」などの品目に細分化し、各品目（アイテム）を銘柄や容量などの単品（SKU）に細分化します。

■商品政策の考え方

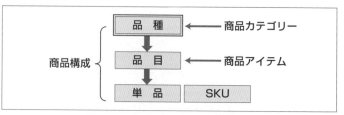

プラスワン
店舗全体の商品構成は、商品カテゴリー（品種）構成と品目構成の2段階で計画される。

（3）商品構成の見直し

　コンビニエンスストアでは、POSシステムから得られるPOSデータによって、商品カテゴリー（品種）ごとに死に筋商品と売れ筋商品をチェックしています。売れない商品は速やかに売場から排除し、売れる商品や新商品などに入れ替えます。

2 仕入計画

　コンビニエンスストアの商品構成は、「多品種少品目少量の品ぞろえ」です。1品種3～4品目に絞り込まれ、1品目当たりの在庫量が少ないのが特徴です。よって、POSデータを活用して売れ筋商品を選び、本部が定める仕入先から少量ずつ仕入れる（発注する）ことが仕入計画の基本となります。

　そのため、売場で品切れ（欠品）を起こさないように、発注サイクルの短縮（多頻度発注）やリードタイムの短縮（多頻度小口物流）を行っています。

■発注サイクルとリードタイム

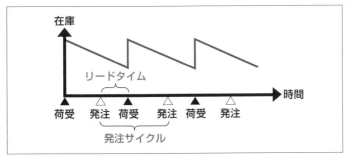

3 補充発注

　コンビニエンスストアでは、発注回数や発注時間帯が決められた定期発注システムを採用しています。そのため、補充発注業務では、発注精度（売れるかどうかの正確性）の高さが重要となります。

　発注精度が低いために売れ筋商品の発注量が不足する

死に筋商品
ある商品カテゴリーの中で商品寿命が終わりかけている品目や、販売促進をしても売上不振となった品目。

売れ筋商品
テレビCMやパブリシティで認知力が高まった品目や、大量陳列で使用価値を顧客へ訴えて売上個数を伸ばしている品目。

発注サイクル
発注から次の発注までの時間。

リードタイム
小売店が商品を発注してからその店舗に届くまでの時間。

と、売場では欠品（品切れ）が発生します。つまり、本来は売れるはずの商品を売ることができなくなり、販売機会の損失（ロス）という事態を招きます。反対に、発注量が多すぎると過剰在庫となり、売場の販売効率が低下します。

そのため、的確な補充発注業務のサポートに携帯端末の電子発注台帳（EOB：Electric Order Book）が活用されています。

4 荷受・検品

荷受した商品は、できる限り迅速に売場にディスプレイし、顧客が買いやすいようにしなければなりません。迅速なディスプレイのために、検品精度の高い一括統合納品システムを確立して、主要な商品カテゴリーのノー検品の荷受態勢がとられています。

5 商品管理（在庫管理・商品管理）

（1）在庫管理

欠品や過剰在庫を減らし、適正在庫を保つことが重要です。精度の高い補充発注や物流で欠品や過剰在庫を減らし、的確な検品や商品管理による正確な在庫量の把握で適正在庫を保ちます。

（2）商品管理

店舗は売上不振の死に筋商品や売れ筋商品の管理を的確に行い、品目構成の見直しに活用することが重要です。

一方、本部の役割は、各店舗がPOSシステムで収集した販売データを一元管理し、店舗に対して、発注する際の仮説を立てやすいように情報提供することです。

店舗や本部の仮説・発注精度を向上させる手法として、計画や仮説を実行し、実行結果を評価し、次の計画に向けて改善するPDCAサイクルがあります。

■PDCAサイクル

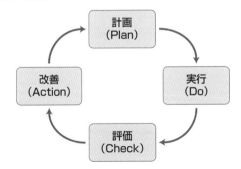

計画
(Plan)

実行
(Do)

評価
(Check)

改善
(Action)

よくある質問

Q EOBとは何ですか？

A EOBとは、電子発注台帳という携帯端末装置です。売場で個々の品目の発注数量をEOBに入力することで、発注情報が本部を経由して仕入先企業にオンライン送信されます。また、EOBには、発注端末としての機能に加えて、発注数量の仮説を立てるために必要な情報伝達機能も組み込まれています。

要点マスター

コンビニエンスストアのマーチャンダイジングの特徴

商品計画	・商品構成は生活必需性が高く、消費サイクルが短く、購買頻度の高い商品が主体 ・多品種少品目少量の品ぞろえ
仕入計画	・売れ筋商品を少量ずつ仕入れ ・発注サイクル、リードタイムの短縮
補充発注	・定期発注システム ・EOBの活用
荷受・検品	・すぐに売場へディスプレイ
商品管理	・死に筋商品、売れ筋商品の管理 ・本部が販売データを一元管理

Let's Try 一問一答

○×問題に答え、正解したらチェックマーク ☑ を入れましょう

☐ ① コンビニエンスストアのマーチャンダイジングの特徴は、消費サイクルの長い商品を主体としている点にある。

☐ ② 弁当、惣菜、飲料などの品種を商品カテゴリーと位置づけて、販売促進や商品管理などを行う。

☐ ③ 取扱品目の多くは、短期間で新商品などに入れ替え、常に商品の新鮮さを維持している。

☐ ④ 商品構成の特徴は、多品種少品目少量の品ぞろえを徹底している点にある。

☐ ⑤ 主力商品の補充発注方式は、定量発注システムである。

☐ ⑥ 品切れを防止するために発注サイクルやリードタイムを長くしている。

☐ ⑦ 死に筋商品とは、販売促進策を講じても売上不振となった品目をいう。

☐ ⑧ 入荷した商品はすぐにバックヤードに保管するのが原則である。

【解答・解説】
①× 消費サイクルの短い商品である。／②○ ／③○ ／④○ ／⑤× 定期発注システムである。／⑥× 発注サイクルやリードタイムの短縮を行っている。／⑦○ ／⑧× すぐに売場にディスプレイする。

商品計画の基本と棚割

学習のPOINT

頻出度
★★★

商品計画とは、ターゲットとなる顧客を決め、そのニーズに応えるように商品構成を決めることである。棚割は、顧客が求めるさまざまな単品を発見、比較、選択しやすいようにする。

1 商品計画とは

　商品計画（品ぞろえ計画）とは、ターゲット顧客を決め、その顧客のニーズに応える品ぞろえを計画的に行うことです。ターゲット顧客を決めることで、競争店との品ぞろえの違い（商品構成の差別化）が明確となり、ターゲット顧客にとって買いやすい店舗となります。商品構成の差別化の方向性を打ち出したものを「品ぞろえコンセプト」といいます。

2 商品構成の基本と手順

　商品構成の基本は、階層状に計画することです。手順は大分類（ライン）から順に、中分類（クラス）、小分類（サブクラス）、細分類（品目・アイテム）を決めていきます。比較選択購買や関連購買がしやすいように、商品間の連続性や関連性を持たせることが重要です。

■商品構成の手順

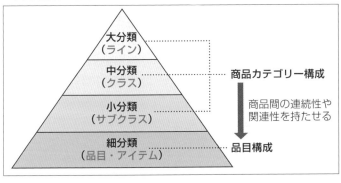

 **キーワード**

比較選択購買
いくつかの小売店を回り、店舗間で気に入った商品を選んで購入すること。また、1つの店舗の売場でいくつかの商品を見比べて、最も気に入った商品を選んで購入すること。

関連購買
目的商品を購入したときに、合わせて購入すると、あるライフスタイルにぴったりと当てはまるような商品を同時に購入すること。

③ 総合化と専門化

商品の品種（商品カテゴリー）構成は「品ぞろえの幅（ワイズ）」、また、品目（アイテム）構成は「品ぞろえの奥行（デプス）」で表現されます。

たとえば、Tシャツ専門店は一般に「幅は狭くて、奥行が深い」品ぞろえであり、コンビニエンスストアは「幅は狭くて、奥行が浅い」品ぞろえといえます。

また、品ぞろえの幅を広げることを商品構成の「総合化」、狭める（絞り込む）ことを商品構成の「専門化」といいます。

■総合化と専門化

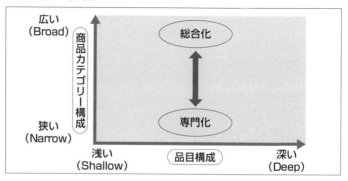

たとえば、婦人服を取り扱っている店舗が、紳士服、子供服、ベビー服を取り扱うようになれば「総合化」で、紳士服、婦人服、子供服、ベビー服の取扱いを婦人服に絞り込めば「専門化」となります。

④ 品ぞろえと販売スペースの関係

品ぞろえの幅と奥行をどのように構成するかは、販売スペース（店舗面積）を考慮に入れなければなりません。一定の販売スペースの店舗において、商品カテゴリー構成を絞り込めば（専門化すれば）、1カテゴリー当たりの品目構成を深くすることができますが、商品カテゴリー構成を広げれば（総合化すれば）、1カテゴリー当たりの品目構成を浅くせざるを得なくなります。

要点マスター

商品構成の方向性

・総合化…商品カテゴリー構成（品ぞろえの幅）を広げること
・専門化…商品カテゴリー構成（品ぞろえの幅）を狭めること

Let's Try 一問一答

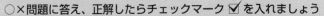

○×問題に答え、正解したらチェックマーク ☑ を入れましょう

□ ① 商品計画とは、顧客ニーズに対応するために商品を選別し、構成し、体系化していくことである。

□ ② 商品構成を階層状の手順に沿って進めるねらいは、関連購買や比較選択購買を促すことにある。

□ ③ Tシャツ専門店は、一般に狭くて浅い品ぞろえの商品構成である。

□ ④ 家電や紳士服などの専門店は、品ぞろえを総合化した小売業態の代表例である。

【解答・解説】
①○ ／②○ ／③× 狭くて深い品ぞろえである。／④× 専門化した代表例である。

販売計画策定の基本知識

学習のPOINT

販売計画は、小売業の経営方針や予算（金額・数量）を達成するための活動計画で、商品展開、部門別売上、売場配置、販売促進、キャンペーンなどについて策定される。

1 販売計画とは

（1）販売計画の位置づけ

販売計画は、小売業の**経営方針**や予算を達成するための活動計画です。小売業の理念やビジョン、経営計画や経営戦略にもとづいて、販売員や商品、売場などの**経営資源**を組み合わせて販売目標や予算を達成するための方針と具体策を明らかにしたものです。

販売計画は、年単位など長期的なものから、半年単位、3ヶ月単位、1ヶ月単位、週単位、日単位など短期的なものまであります。短期的な販売計画に沿って毎日の販売活動や仕入活動を実行して、実行結果を次の期間の販売計画に反映する**PDCAサイクル**を繰り返すことで、長期的な販売目標や予算を達成する可能性を高めます。

■販売計画の位置づけ

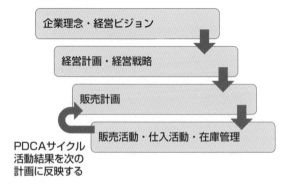

企業理念・経営ビジョン

↓

経営計画・経営戦略

↓

販売計画

↓

販売活動・仕入活動・在庫管理

PDCAサイクル
活動結果を次の
計画に反映する

（2）計画の策定順序

　マーチャンダイジング全体像の中で重要な計画は、商品計画・販売計画・仕入計画です。商品計画の次に販売計画を策定し、策定した販売計画を実行するために必要な商品を、必要な時期に、必要な量を仕入れる仕入計画を策定します。

？よくある質問？

Q どうして仕入計画より先に販売計画を策定するのですか？

A 仕入計画を先に策定した場合、「仕入れた商品をどう売り切るか」という観点から、実現困難な販売計画が策定されてしまう可能性があります。先に販売計画を策定することで、販売計画通りに販売できれば、仕入量が足りない欠品や、仕入量が多すぎた過剰在庫を減らす効果があります。

■計画の策定順序

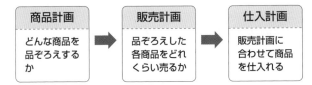

商品計画		販売計画		仕入計画
どんな商品を品ぞろえするか	→	品ぞろえした各商品をどれくらい売るか	→	販売計画に合わせて商品を仕入れる

② 販売計画の内容

（1）販売計画の体系

　販売に関する計画はすべて販売計画に含まれますが、特に売上目標と費用をまとめた売上計画が販売計画体系の軸になります。

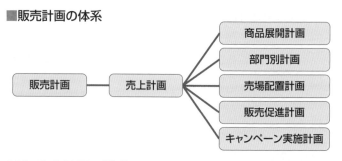

■販売計画の体系

（2）売上計画の構成

　一般的に売上計画は、商品展開計画、部門別計画、売場配置計画、販売促進計画、キャンペーン実施計画などで構成されます。

■売上計画の構成

商品展開計画	いつ、どの商品を、どのように売っていくかの計画
部門別計画	部門別またはカテゴリー別の売上計画
売場配置計画	どの部門をどの売場に配置するかの計画
販売促進計画	売場や店舗でのイベントや広告活動の計画
キャンペーン実施計画	メーカーや仕入先と協働によるキャンペーンの計画

（3）販売目標数値の設定

　販売目標数値は、部門別（担当者別や売場別など）に金額ベースや数量ベースで設定します。

Let's Try 一問一答

○×問題に答え、正解したらチェックマーク ☑ を入れましょう
□　①　販売計画は、経営計画や経営戦略にもとづいて策定される。
□　②　販売促進計画は、いつ、どの商品を、どのように売っていくかの計画である。
□　③　販売目標数値は金額ベースでのみ設定する。

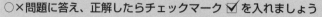

【解答・解説】
①○　販売計画は、経営計画にある販売目標や予算を達成するために策定される。／②×　販売促進計画でなく、商品展開計画である。／③×　販売目標数値は、金額ベースや数量ベースで設定する。

仕入計画の基本と仕入先・仕入方法

学習のPOINT

小売業は、販売計画に基づき仕入計画を作成する。仕入に関する意思決定で、特に重要となるのは、「どこから」という仕入先の選定と「どのように」という仕入の方法や方式である。

頻出度
★

1 仕入計画の基本

　小売業は、販売目標を明記した販売計画に基づいて仕入計画を立案（りつあん）します。一般に、仕入計画には、商品カテゴリーごとに、仕入先企業の選定、仕入方法、仕入時期、仕入数量などの仕入方針と、年間、半期、四半期（しはんき）、月別などの実行計画を記載します。立案には、過去の販売や仕入の実績および市場環境の変化なども考慮します。

■仕入計画と販売計画の関係

販売活動
（前輪）

年間・半期・四半期・
月別　販売計画
販売目標を明記

仕入活動
（後輪）

年間・半期・四半期・
月別　仕入計画

仕入計画は販売計画
に基づき立案

　仕入計画の実施に当たっては、金額ベースの仕入枠（予算）に基づいて商品を管理する必要があります。無計画な仕入を行うと、欠品や過剰在庫（かじょう）を招き、利益を圧迫することになるからです。

2 仕入方法

（1）仕入先の選定

　自店の経営に役立つ仕入先を見極めて、主力仕入先、準主力仕入先、その他の仕入先に仕入先を選別し、仕入の重

プラスワン

仕入活動とは、狭い意味では仕入業務と補充発注の作業、広い意味では、品ぞろえ計画の立案を基本業務として、狭い意味の仕入および補充発注を含めた全体のこと。

販売と仕入は車の前輪と後輪の関係にあり、仕入計画は販売計画に基づき立案します。

キーワード

欠品
定番商品がその売場で品切れの状態。

点度を設定することが重要です。主力仕入先の選定条件には、商品の安定供給が可能なことなどがあります。

（2）仕入方法

仕入方法には、**大量仕入**と**随時仕入**の2つがあります。

要点マスター

大量仕入と随時仕入のメリット・デメリット

	大量仕入	随時仕入
メリット	仕入原価の引下げ、事務手続きの簡略化による仕入経費の低減	手持ち在庫が少なくて済み、資金面で有利
デメリット	売れなければ、利益面の損失が大きくなる	発注業務に時間とコストがかかる

（3）仕入方式

本部集権型の**集中仕入（セントラルバイング）方式**と店舗ごとの独自の仕入方式があります。

集中仕入による効果は、①仕入コストの低減、②有利な仕入条件の獲得、③全社的に統制のとれた販売促進や在庫管理です。一方、問題点は、①的確な予測が困難な場合、大量仕入のメリットを得にくい、②一括大量仕入は、各店舗の立地特性に合致した商品導入が難しい、③見込み違いから多大な在庫ロスが生じる恐れがあることです。

百貨店や専門店（中小規模の業種別小売店）では、各店舗にバイヤーを配置した店舗ごとの独自の仕入方式によって、各店舗の立地特性に合致した商品を、各店舗で導入しています。立地特性に合致した商品を調べるために、バイヤーに売場の販売を担当させる小売業もあります。

2章　マーチャンダイジング

Q 見込み違いなどで販売計画にズレが生じた場合には、どうするのでしょうか。

A 販売計画にズレが生じた場合は、当初の仕入計画にこだわることなく、臨機応変に仕入枠を変更する必要があります。

③ 棚割とディスプレイ

　棚割とは、一定の棚（ゴンドラ）スペースの中で、顧客が求めるさまざまな単品を発見しやすく、比較・選択しやすいように、計画的・効率的にディスプレイする技術です。売上と利益の両方を意図的、効率的に向上させる目的から、棚割は**店舗マネジメント**の手法でもあります。

　棚割とディスプレイの出来は、その店舗の売上や利益を大きく左右する影響力を持っています。また、メーカーにとっても、棚割の出来が自社製品の売れ行き（インストアシェアの拡大）につながるため、棚割への関心が高まっています。

棚割は、販売効率アップのための店舗マネジメントの基本です。

インストアシェア
小売店の特定の売場（カテゴリー）における特定メーカー商品（ブランド）の占有率のこと。

Q 棚割は売場で勝手に変更していいですか？

A 売場の発注や在庫管理を担当する従業員が自分の意思で勝手に変更してはいけません。品切れした商品のスペースを他の商品で埋め合わせするのはルール違反です。

　なぜなら、顧客にとってみれば、その商品が廃番になったと勘違いしたり、従業員にとっては品切れを見過ごして発注忘れをすることにつながるからです。

Let's Try 一問一答

		○×問題に答え、正解したらチェックマーク ☑ を入れましょう
☐	①	仕入計画の立案には過去の仕入や販売の実績と市場環境の変化などを考慮することが肝要である。
☐	②	仕入計画は、販売計画に基づいて数量ベースの仕入枠によって管理するのが一般的である。
☐	③	主力となる仕入先企業に求められる取引条件に、商品の安定供給がある。
☐	④	大量仕入は、仕入原価の引下げがメリットであるが、事務手続きは複雑で、仕入経費は上昇することがデメリットである。
☐	⑤	随時仕入は、手持ち在庫量が少なくて済み、資金面で有利なことが、メリットである。
☐	⑥	棚割は、一定のゴンドラスペースにおいて、売上と利益の最大化を図るための店舗マネジメントの実行手段である。
☐	⑦	インストアシェアとは、小売店の特定カテゴリーにおける特定メーカー商品（ブランド）の占有率のことである。

【解答・解説】
①○ ／②× 金額ベースの仕入枠によって、管理することが有効である。／③○ ／④×
事務手続きは簡略化され、仕入経費は低減する。／⑤○ ／⑥○ ／⑦○

LESSON 8 発注・物流の基本

Check!
／／／

学習のPOINT

頻出度 ★★

仕入計画に基づく発注は、機能面で、仕入や在庫と密接な関係にあり、作業面で、販売と在庫に大きな影響を及ぼす。発注した商品の場所・時間・人の隔たりを取り結ぶのが物流である。

1 発注の基本

（1）効果的な発注

　仕入、在庫、発注の機能は、密接な関係にあります。仕入計画に基づく発注の作業は、発注の時期と発注量の決め方により、販売と在庫に大きな影響を及ぼします。在庫は多すぎても少なすぎてもさまざまな問題が生じるので、適正在庫の維持が発注のねらいです。

①発注の形式

　発注の形式には、新規の取扱商品や臨時の取扱商品に関する初期発注と、定番商品などを一定の仕入先から一定の条件で継続的に仕入れる補充発注がある

②補充発注の方式

　補充発注の方式には、商品の量を常にチェックし、在庫が決められた一定の量を下回ったときに自動的に発注する定量発注方式と、あらかじめ発注する時期（曜日）を決めて、必要とされる商品および数量を発注する定期発注方式の2つがある

■定量発注方式と定期発注方式

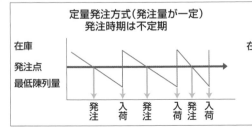

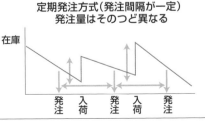

ステップアップ

適正な発注の留意点
①倉庫や陳列棚の整理整頓と、常に正しい在庫量の把握。②気象条件に合わせた売れ行き数量の予測。③地域催事や新商品情報などの新規情報の収集。④売上状況の把握と、売上見込みの精度の向上。⑤メーカーや産地の生産状況と、店舗への入荷状況などの把握。⑥競争店の販売動向、販促動向の観察。

適正在庫
➡P.85

キーワード

定番商品
小売店で一定期間に継続して販売する品目。

プラスワン

定量発注方式は、コンスタントに売れている商品の発注、**定期発注方式**は、売上予測が難しい季節性の強い商品や流行品、新商品、消耗品の発注に適している。

キーワード

多頻度小口(少量)配送
小売店が売場の在庫をできるだけ抑え、販売効率を高めるため、メーカーや卸売業が少ない量の商品を頻繁に小売店に配送すること。

プラスワン

物流センターは、多頻度小口（少量）配送に対応できる自動倉庫機能や自動仕分け機能を備えている。

多頻度小口配送が定着した背景は、POSシステムやEOSなどによる情報化の進展によって商品の販売状況が納入者側に素早く伝わるようになったことです。

② 物流の基本

（1）小売業の物流の基本機能

　物流の役割は、場所の隔たり、時間の隔たり、人の隔たりという3つの隔たりを取り結ぶことです。

　小売業の物流は、以下の4つの基本機能に分けられます。

①調達物流

　　仕入先から店舗に商品を届ける物流

②販売物流

　　顧客（消費者）への商品の受け渡しの物流

③社内間移動物流

　　社内店舗間の商品の移動や返品を戻す物流

④返品物流

　　仕入先に商品を返品する物流

（2）小売業の物流体制

　顧客ニーズの多様化や個性化の著しい進展に伴い、チェーンストアは、店頭在庫の圧縮に加え、商品の鮮度維持などのため、サプライヤーに対して**多頻度小口（少量）配送**を要請してきました。

　しかし、近年では、CO_2削減といった環境対応が重要視され、メーカーや卸売業にとっては、多頻度小口配送の増加や燃料費の高騰などに伴う物流コストの上昇によって経営が圧迫されはじめています。したがって、店舗側では納品作業の増加への対応、物流業者側では物流コストの削減が、大きな課題となります。

（3）物流センター

　物流センターは、商品を一定期間保管する貯蔵機能と、商品の入荷から出荷までの流れをコントロールし、商品を運びやすくするために小分けにするなどの流通加工機能、商品の搬出入や移動の荷役機能などを備えています。

　多店舗展開するチェーンストアは、**物流センター**から店舗へ**多頻度小口配送**を行い、店舗の在庫水準を低く保ち、

欠品を減らしています。**物流センター**では、各店舗に納入する商品を一括集約して荷受・検品し、店別、カテゴリー別に仕分けして店舗へ配送する仕組みを構築しています。

物流の"ジャスト・イン・タイム"とは、「必要なときに、必要な量だけ、必要な場所に納入すること」の意味で使います。

要点マスター

定量発注方式と定期発注方式

定量発注方式	発注時期は不定期だが、発注量が一定
定期発注方式	発注時期を決めて、必要な商品の数量を発注する方式。発注量は、そのつど異なる

Let's Try　一問一答

○×問題に答え、正解したらチェックマーク ☑ を入れましょう

- ☐　① 競争店の販売動向、催事などの販促活動を絶えず観察することは、適正な発注を行うためには必要ない。

- ☐　② 定期発注方式は、あらかじめ補充発注する時期を決めておき、定期的に発注する方式である。

- ☐　③ 顧客への商品の受け渡しの物流を、調達物流という。

- ☐　④ 多頻度小口配送によって、メーカーや卸売業は物流コストが低下する。

- ☐　⑤ 顧客ニーズの個性化が著しく進み、小売店は在庫の圧縮に加え、鮮度維持のためにも多頻度小口配送を求めている。

- ☐　⑥ 物流センターは、商品を一定期間にわたって保管しておく貯蔵機能と、商品の入荷から出荷までの流れをコントロールし、商品を運びやすいように加工する機能を備えた倉庫である。

【解答・解説】
①× 市場環境の変化などに留意することも必要である。／②○ ／③× 「調達物流」でなく、「販売物流」である。／④× メーカーや卸売業は物流コストが上昇する。／⑤○ ／⑥○

価格設定の基本

価格設定により、小売業が取り扱う商品は売れ行きを左右される。価格の設定要因、価格政策や、価格政策に関する諸問題などを押さえ、戦略や戦術としての価格政策の理解が重要である。

1 価格の設定要因と価格政策

（1）価格設定の基本とその方法

　小売業では、売価の設定に当たり、仕入や販売などの活動に関わるコストを重視するとともに、競争や需要などの市場環境も加味します。売価を設定する方法の1つに、「仕入原価＋運営費（コスト）＋一定の利益＝売価」を基本とするコストプラス法（マークアップ法）があります。

　価格設定の基本であるコストプラス法による価格は、商品が順調に売れれば、一定の利益を確保できます。しかし、競争や需要を考慮した価格でないと、商品を順調に売ることは難しくなります。小売業は、需要動向や競争店の動き、商品ライフサイクルなどを総合的に判断して売価を決定し、多種多様な価格政策を用いて価格を設定しています。

■価格設定の方法とその価格

コストに応じた価格設定法 コストプラス法	・売り手の都合で決められた価格
地域需要に対応した価格設定法 マーケットプライス法	・消費者にとって買いやすいと感じる値頃感のある価格
競争を意識した価格設定法	・競争店よりも安い価格 ・価格競争力のある価格

（2）価格政策と価格に関する諸問題

①価格政策

　価格政策には、次のように多くの種類がある

価格政策の名称	内　容
正札（通常価格）政策	どの顧客にも通常の価格で販売する方法
端数価格政策	価格の末尾を8や9などの数字でそろえて、顧客に安い印象を与えることで販売量を増やす方法
段階価格（階層価格）政策	品質や品格などにより、品種ごとに商品をクラス分けして価格を設定する方法
慣習価格政策	すでに一般の消費者に商品価格が心理的に浸透して馴染んでいる場合、それに合わせて価格を設定する方法
名声価格（プレステージ価格）政策	高級品に高価格を設定し、高品質であることを顧客にイメージさせる方法
割引価格政策	計画的に一定期間、通常価格から割り引いて販売する方法
均一価格政策	商品に同一の低価格をつける方法
特別価格政策	特定商品に著しく安い価格を設定し、他の商品の売上を高める方法
見切価格政策	売れ残りや不良在庫などを処分するため著しく安い価格を設定する方法

②価格に関する諸問題

　再販売価格維持行為や二重価格表示のほか、オープン価格などがある

■価格に関する諸問題

再販売価格維持行為	仕入先が転売価格を指示する行為 独占禁止法で原則禁止 書籍や新聞、音楽CDなどは認められている
二重価格表示	通常価格と値下げした価格を並べて表示する行為 価格が著しく違うと景品表示法の不当表示の可能性がある
オープン価格	販売者が自主的に決定した販売価格
単位価格表示	「100グラム〇〇円」など単位当たり換算価格

2 売価設定の基本

（1）戦略としての価格政策

　価格設定の基本方針は、中長期の経営計画や経営戦略により決定します。

売価の設定は、商品の売れ行きを大きく左右する要因でもあり、小売業だけでなくメーカーにとっても重要な経営課題なんですね。

2章 マーチャンダイジング

①エブリデイローブライス（恒常的超低価格政策：
Everyday Low Price：EDLP）

　毎日、継続的に、競争店を上回るほど低い一定価格で販売し続ける価格政策

②ハイ・ロープライス

　チラシ広告などにより、週間単位で売価を上下させる価格政策

（2）戦術としての価格政策

　ロスリーダー価格、ワンプライス（単一価格）、一物多価（割引）があります。

■戦術としての価格政策

ロスリーダー価格	原価を下回る価格。集客目的で生活必需品のNB商品などに設定する
ワンプライス	「どれでも100円」などの単一価格。販売促進目的
一物多価	同じ商品を多く買うほど、単価を値下げする売価設定

（3）値下げ

　キズや汚れ、売出し、競争店の安売り対策、売れ残り商品の処分などのため、価格を下げた販売のことです。

要点マスター

価格設定に関する用語	
コストプラス法	仕入原価に、運営費(コスト)や一定の利益を加えて販売価格（売価）とする方法
端数価格政策	価格の末尾を8や9などの数字にして、顧客に心理的に安い印象を与え、販売量を増加させる価格政策
段階(階層)価格政策	品質や価格などにより品種ごとに高級品、中級品、普及品などの3段階ほどのクラスを設けた価格政策。顧客の商品選択や購入の意思決定を促す
EDLP	エブリデイローブライスのことで、毎日継続的に競争店を上回るほど低い一定価格で販売し続ける価格政策

Q コストに応じた価格設定法（コストプラス法）による価格は、売り手都合の価格といわれるようですが、なぜでしょうか。

A コストプラス法による価格は、仕入原価に販売に要する諸コストと一定の利益をプラスして、販売価格（売価）とします。マーケットプライス法による価格のように、消費者の立場からの価格ではなく、売り手都合の価格といわれています。

Let's Try 一問一答

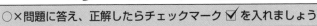

○×問題に答え、正解したらチェックマーク ☑ を入れましょう

□	①	名声価格とは、すでに一般の消費者に商品価格が心理的に浸透し、馴染んでしまった価格のことである。
□	②	段階価格（階層価格）とは、品質や品格によって、品種ごとに高級品、中級品、普及品のクラスを設けて販売価格を設定するもので、顧客の商品選択や購入の意思決定を促す価格である。
□	③	名声価格政策では、高級品に低価格を設定する。
□	④	計画的に一定期間、通常価格から割り引いて販売する方法を割引価格政策という。
□	⑤	エブリデイロープライス（EDLP）とは、毎日、継続的に、競争店を上回るほど低い一定価格で販売し続けるという低価格販売志向の価格設定の考え方に従った価格政策である。
□	⑥	ハイ・ロープライスとは、チラシ広告などによって、週間単位などで商品の単価を上げたり下げたりする価格政策である。

【解答・解説】
①× 名声価格は、高級品に対し、高品質であることを顧客に連想させるために設定した高価格のことである。／②○ ／③× 高級品に高価格を設定する。／④○ ／⑤○ ／⑥○

利益の構造

積み上げた売上高から利益が生み出される。小売業で重要視されている利益としての値入れや粗利益を理解する。

1 利益の構造、値入れと粗利益の関係

（1）値入高と値入率

商品の仕入価格（仕入先に商品代金として支払う金額の仕入原価）に利益を加えて販売価格を決めることを値入れ、その利益を値入高といいます。値札に表示されている売価（仕入高の売価）と仕入原価との差額が値入高で、売価に対する値入高の割合を値入率（売価値入率）といい、次の計算式で求めます。

■値入率の計算

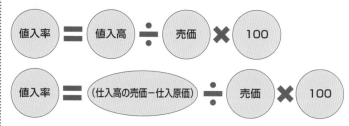

たとえば、仕入原価7,000円の商品に10,000円の売価をつけた場合、値入高は10,000 − 7,000円で3,000円、値入率は3,000円÷10,000円×100で30（％）となります。

なお、部門別（または単品に数量を掛け算するとき）の値入高を値入高合計、値入率を平均値入率と呼び区別します。

値入高合計＝仕入高の売価−仕入原価

平均値入率(%)＝(値入高合計÷仕入高の売価)×100

プラスワン
新品の状態で予定する販売価格を仕入高の売価、その商品の仕入価格を仕入原価、売価と原価との差額の予定利益を値入高という。

プラスワン
仕入高の売価は、「顧客に買ってもらいたい価格」「顧客に売りたい価格」として「値札（プライスカード）に表示されている販売価格」である。

（2）粗利益高と粗利益率

　実際の販売による売買利益高の粗利益高（あらりえきだか）は、仕入時に計画した値入高からロス高や値引高を除いた利益で、売上高に対する粗利益高の割合の**粗利益率**は、以下で求めます。

> 粗利益率（%）＝（粗利益高÷売上高）×100

（3）値入れと粗利益の計算例

　仕入時点において、600円で仕入れた商品を1,000円で発売したが、実際には200円値下げして800円で販売した場合、値入高と値入率、粗利益高と粗利益率は次の通りです。

・値入高＝1,000円－600円＝400円
・値入率＝（1,000円－600円）÷1,000円×100＝40（%）
・粗利益高＝800円－600円＝200円
・粗利益率＝（800円－600円）÷800円×100＝25（%）

■値入高と粗利益高との違い

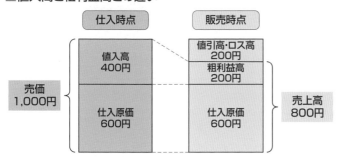

② 消費税を含んだ売価の計算

　消費税を含めた売価や売上高を消費税課税前の売価や売上高に修正する場合、次の計算式で求めます。

> 消費税を含めた売価や売上高÷（1＋消費税率）

　消費税を含めた売上高が1,100円（消費税率10%）のとき、消費税課税前の売上高は1,000円です。

> 1,100円÷（1＋10%）＝1,000円

プラスワン
粗利益高は、実際に商品を販売して得られた利益額である。したがって、商品を入荷しても売れなければ、粗利益高はゼロとなる。

2章　マーチャンダイジング

要点マスター

仕入、値入れに関わる用語

仕入価格	仕入先に商品代金として支払う金額の仕入原価
仕入高の売価	売価に仕入数量を掛けて仕入高を売価換算したもの
値入高	仕入高の売価と仕入原価との差額
値入率	売価に対する値入高の割合
売　価	顧客に買ってもらいたい価格として、値札に表示されている販売価格

Let's Try　一問一答

○×問題に答え、正解したらチェックマーク ☑ を入れましょう

□　①　商品を仕入れたときの価格を仕入高の売価という。

□　②　1枚700円で仕入れた下着に1,100円の売価を設定すると、値入高は、400円となる。

□　③　仕入原価900円、売価1,200円で設定したTシャツの売価値入率は、33%である。

□　④　売価2,000円のシューズについて、売価値入率が30%の場合の仕入原価は、1,400円である。

□　⑤　消費税10%を含めて売価3,300円を設定した化粧品の消費税を含まない売価は3,000円である。

【解答・解説】
①×　仕入原価という。／②○　1,100円−700円＝400円／③×　$\dfrac{1,200円−900円}{1,200円} \times 100 =$ 25。よって、25%である。原価値入率が33%となる。／④○　2,000円×（1−0.3）＝1,400円／
⑤○　3,300円÷（1＋10%）＝3,000円

LESSON 11 在庫管理の基本

学習のPOINT

頻出度
★★

在庫管理の目的は、在庫として眠っている資金を有効に運用し、利益の源泉となるように管理することである。常に必要なだけの在庫量を保有するという大切な役割を担うのが在庫管理である。

1 在庫管理の基本

（1）在庫とは何か

在庫は、いずれ近いうちに売上になる見込みがあるものです。仕入れてから販売まで、店頭に並べられている商品、バックルームや倉庫で保管する商品は、すべて在庫です。

（2）在庫管理の必要性

①過剰在庫・過少在庫の影響

在庫が増えることは、活用していない資産が増加することなので、資金の流動性が低下する。在庫が少ないと品切れ（欠品）が発生し、販売機会のロスにつながる

②在庫管理の目的

在庫に投下した資金を小売業が有効に運用し、利益の源泉となるように管理・調整することが在庫管理の目的である。小売業の安定した経営には、在庫のマイナス要因を最小限に抑えることが課題で、常に必要なだけの量である適正在庫の保有が必要となる

在庫管理は、次の4つの業務に整理されます。

①将来の需要を的確に予測する業務
②適正な時期に適正な数量を発注する業務
③適正な価格または原価でそれを確保する業務
④適正な在庫レベルを維持する業務

通常、小売業では最初に経営計画を定め、それに基づいて仕入・販売計画などが立案され、店舗運営を行う中で在庫管理が連動します。

ステップアップ

経営計画に基づく在庫計画を管理する**在庫管理**は、総枠管理、単品管理、重点管理、入出庫管理に分かれる。

キーワード

適正在庫
過剰在庫にもならず、販売機会を逸するほどの過少在庫にもならない状態の在庫。

ステップアップ

商品回転率を計算する際、商品在庫高は①期末の商品在庫高、②期首と期末の商品在庫高を加算して2で除した平均在庫高、③月末の商品在庫高を1年分合計し12で割った平均在庫高、などを使う。

（3）在庫管理の方法と商品回転率

　在庫管理の方法には、金額による在庫管理（ダラーコントロール）と数量による在庫管理（ユニットコントロール）があります。

　商品回転率は、小売業の**販売効率**を示す代表的指標で、一定期間の売上に対し商品在庫高が何回転するかで表します。通常、商品在庫高は、平均在庫高を用います。

2 データによる在庫管理

（1）売場データの活用

　在庫管理には、在庫の金額と数量の売場データの把握（は あく）が必要です。両方を把握することには、次のメリットがあります。

①どの商品を、いつ、どれだけ（金額・数量）、どこから仕入れたかがわかり、効率的な仕入管理が可能

②売れ筋商品や死に筋商品が発見でき、適切な補充（ほ じゅう）、追加発注や返品、入替え、タイムリーな値下げが可能

③商品の売れ行きに合わせた品ぞろえに修正が可能

④次年度の販売計画や仕入計画の作成に活用が可能

（2）商品回転率の計算方法

①商品回転率

　在庫の売れ行きの速さを示す指標。年間売上高を商品在庫高で割って求める

> 商品回転率(回)＝年間売上高÷商品在庫高(売価)

　分子の年間売上高は販売価格なので、通常、分母の商品在庫高も売価を用いる

②商品回転期間

　商品が何日後に売れるかという販売に要する日数。商品回転率を日数換算（かんざん）し算出できる

> 商品回転期間(日)＝1年間(365日)÷商品回転率

プラスワン

商品回転期間は、商品回転率を日数換算した販売に要する期間。①今日仕入れた商品が何日後に売れるか、②1日の売上高に対して何日分の在庫を持っているか、の2点を表す。

③交差比率

　商品回転率に粗利益率を乗じた指標。数値が高いほど販売効率がよいことを示している

■交差比率の求め方

商 品	粗利益率	商品回転率	交差比率
A	40%（1位）	10回（3位）	4.0（2位）
B	30%（2位）	15回（2位）	4.5（1位）
C	20%（3位）	18回（1位）	3.6（3位）

　たとえば、商品Bの交差比率の計算方法は、30％×15＝4.5となります。

よくある質問

Q 過剰在庫が、小売業の収益性を悪化させるのはどうしてでしょうか。

A 在庫が増えるということは、活用されていない資産が増加することを意味します。その分、資金の流動性が低下します。在庫を多く保有した結果、売れ残ってしまうと、品質が低下したり流行遅れなどによって陳腐化したりして、場合によっては仕入金額のすべてが損失となる廃棄処分を考えなければならなくなります。また、在庫には、その保管場所となるスペースが必要となります。増えた在庫のために新たに倉庫を借りたり建設したりすれば、その分だけ余計に賃借料や建設費が発生します。したがって、過剰在庫は、小売業の収益性を悪化させることにつながります。

プラスワン

粗利益率は、売上高に占める粗利益高（⇒P.83）の割合。取扱商品の売買差益（売上高－仕入原価）と売上高の比率で、売上高総利益率ともいう。

商品の販売効率は、商品回転率と粗利益率の両方を含む交差比率で判断します。

2章　マーチャンダイジング

要点マスター

商品回転率と商品回転期間

	商品回転率	商品回転期間
用語の説明	在庫の売れ行きの速さを示す指標で、一定期間の売上に対し、商品在庫高が何回転するかで表す	商品が何日後に売れるかという販売に要する日数であり、商品回転率を日数換算して算出する
計算式	年間売上高÷商品在庫高	1年間（365日）÷商品回転率

Let's Try 一問一答

		○×問題に答え、正解したらチェックマーク ☑ を入れましょう
☐	①	過少在庫は、活用されていない資産が増加することを意味し、その分、資金の流動性は低下する。
☐	②	過剰在庫は、品切れ（欠品）が発生し、販売機会のロスにつながる。
☐	③	年間売上高が500万円、平均在庫高が20万円とすれば、商品回転率は、25回である。
☐	④	粗利益率40％、商品回転率15回の商品の交差比率は、6.0である。
☐	⑤	金額による在庫管理をダラーコントロールという。
☐	⑥	商品回転率の計算では商品在庫高（原価）を使う。

【解答・解説】
①×　過剰在庫の内容である。／②×　過少在庫の内容である。／③○　／④○　／⑤○
数量による在庫管理はユニットコントロールという。／⑥×　商品在庫高（売価）を使う。

販売管理の基本知識

> 販売管理は、販売活動のPDCAサイクル全体の管理を意味することもあれば、販売分析や販売目標設定を含めて販売管理とすることもある。

1 販売管理とは

　販売管理は、販売活動の実績を評価するだけではありません。マーチャンダイジングにおいて、計画を立案して実行を促すことや、実行の方法を示すこと、実行の結果を評価・改善し、次の計画にフィードバックすることのPDCAサイクル全体が販売管理です。

■マーチャンダイジングのPDCAサイクル

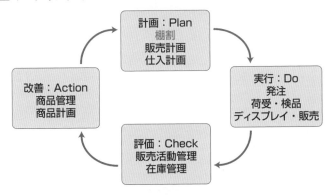

2 小売業の販売管理の目標

　小売業の販売管理では、購買の実態と傾向を把握する**販売分析**や、販売目標を設定する**販売計画**、実行結果を評価・改善する**販売活動の管理**に重点がおかれます。

①販売分析

　POSデータなどの小売業**内部**の情報と、メーカーや消費者動向など小売業**外部**の情報とを分析して、購買の実態と

傾向、問題点などを把握し、販売目標設定や販売計画策定の準備をする

②販売計画

販売分析の結果や小売業経営の維持に必要な売上高などから、小売業全体の販売目標を決め、商品カテゴリー別などに販売目標を細分化する。細分化した販売目標を達成するための具体的な販売活動を販売計画にまとめる

③販売活動の管理

販売計画に沿った販売活動を実行した結果をPOSデータで評価し、改善する販売活動をくり返しながら、販売目標や販売計画を達成する

■販売管理の作業と流れ

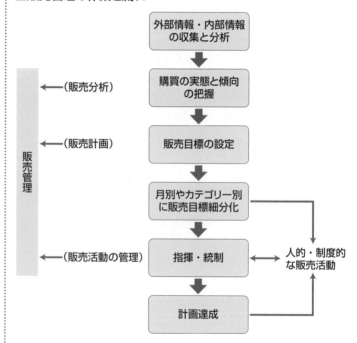

2章　マーチャンダイジング

要点マスター

販売管理の要点

販売分析	内部情報と外部情報から購買実態や傾向をつかむ
販売計画	販売目標を達成するための具体的活動を計画する
販売活動の管理	マーチャンダイジングのPDCAサイクルを繰り返す

Let's Try 一問一答

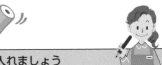

○×問題に答え、正解したらチェックマーク ☑ を入れましょう

□　①　マーチャンダイジングのPDCAサイクルでは、棚割は実行：Doに区分される。

□　②　購買の実態と傾向の把握は、POSデータなどの内部情報のみで行う。

□　③　小売業全体の販売目標を決めた後に、その販売目標を商品カテゴリー別などに細分化する。

【解答・解説】
①× 棚割は、計画：Planに区分される。／②× 内部情報と外部情報とで、購買の実態と傾向を把握する。／③○

LESSON 13

Check!

POSシステムの活用

学習のPOINT

頻出度 ★★★

POSシステムは、販売時点情報管理と単品管理が可能なシステムである。ハード面とソフト面のメリットを、販売管理などに活用し、売場生産性（販売効率）や経営改善に役立てる。

1 POSシステムの特徴と活用方法

　POSシステムは、販売時点情報管理システムであり、売場生産性（販売効率）の向上や経営改善に役立てます。

　POSシステムは、小売店側が顧客の購入した商品の代金を受け取る際に、商品一つひとつについている識別コードを、POSレジのスキャナで読み取ってコンピュータで処理し、単品ごとに欠品防止や商品寿命の予測など、品ぞろえや発注に活用する経営の仕組みといえます。

■POS システムの特徴と活用方法

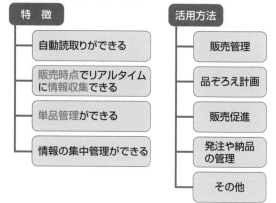

特　徴
- 自動読取りができる
- 販売時点でリアルタイムに情報収集できる
- 単品管理ができる
- 情報の集中管理ができる

活用方法
- 販売管理
- 品ぞろえ計画
- 販売促進
- 発注や納品の管理
- その他

キーワード

単品管理
1つの品目におけるサイズや容量、色などが異なる単品レベルの売れ行き動向を詳細に分析し、管理すること。

2 POSシステムの仕組み

　POSターミナル（POS端末やPOSレジスターともいう）は、レジスター（精算業務）機能やPOS（販売時点での売上情報）機能を持ちます。レジスター機能は、入金処理、支払処理、レシート発行などが基本的機能です。

一方、**POS**機能は、POSターミナル付属の光学式スキャナでJANコード（バーコード）を読み取り、ストアコントローラの商品マスターファイルからJANコードの該当商品の価格をストアコントローラの売上明細ファイルに書き込む一連の機能です。これを、**PLU**（価格検索）方式と呼びます。

❸ POSシステムのメリット

POSシステムのレジスター機能やPOS機能のメリットにより、売場生産性が向上します。
①レジスター機能のメリット
レジ待ち時間の短縮化など顧客サービスの向上、レジでの人的作業の合理化、値付け作業の省力化など
②POS機能のメリット
売上明細ファイルのデータ活用による、時間帯別や部門別の売上管理、売れ筋商品や死に筋商品の管理、販売促進の評価、発注や納品の単品管理など

❹ バーコード

バーコードは、コンピュータなど各種の情報機器へのデータ入力作業を容易に、かつ正確にするために誕生した情報入力手段で、JANコードがあります。

（1）JAN（Japanese Article Number）コード
小売店の店頭でPOSターミナルから光学式スキャナで読み取る単品レベルの**商品識別**のためのコードです。JANコードは「どの企業の、どの商品」という体系です。
①JANコードの体系
標準13桁の場合、左から９桁または７桁が「どの企業」を表す**JAN企業（メーカー）コード**（国コード２桁含む）、次の３桁または５桁が「どの商品」を表す**アイテムコード**、最後の１桁が読取チェック用のコード（チェックデジット）。日本の国コードは「49」または「45」

キーワード

ストアコントローラ
POSデータを利用して、各種の情報管理や分析を行うコンピュータのこと。

PLU方式
商品に印刷または貼付されたJANコードを光学式スキャナで読み取ることで、商品マスターファイルから該当する商品の単価、品名、部門コードなどが検索されてレシートが発行される方式。

2章　マーチャンダイジング

■JANコードの体系例

国コード 2桁											
4	9	3	4	5	6	7	1	2	3	4	5	1

企業（メーカー）コード7桁	アイテムコード5桁	チェックデジット1桁

　企業（メーカー）コードは、一般財団法人流通システム開発センターが一元管理しており、取得企業は**3年**ごとの更新がある。アイテムコードは、企業（メーカー）コード取得企業の中で重複しないように、**単品**ごとに付与する。チェックデジットは企業(メーカー)コードとアイテムコードとの組み合わせによって自動的に決まる

②JANコードの表示時期

　JANコードを表示(印字)する時期によって、ソースマーキングとインストアマーキングとがある

■ソースマーキングとインストアマーキング

ソースマーキング	JANコードを製造・出荷段階で、商品包装（パッケージ）に直接表示（印刷）
インストアマーキング	小売業で販売される段階でJANコードを表示（印刷したラベルの貼付）

よくある質問？

Q POSシステムで誰が買ったのかがわかりますか？

A POSシステムだけでは、把握できません。POSシステムは、いつ、どの商品が、いくらで、いくつ売れたのかが把握できるシステムです。

　ただ、POSシステムに顧客情報を記録したICカードのカードリーダーを接続することで、どの顧客が何を買ったのかという情報を収集することができます。

2章 マーチャンダイジング

要点マスター

POSシステムの特徴とメリット

●POSシステムの特徴
　①商品売価の自動読取りができる
　②販売時点においてリアルタイムに情報収集ができる
　③取扱商品の単品管理ができる
　④情報の集中管理ができる
●POSシステムのレジスター機能のメリット
　①顧客サービスの向上
　②レジでの人的作業の合理化
　③値付け作業の省力化
●POSシステムのPOS機能によるデータ活用のメリット
　①時間帯別や部門別の売上管理
　②売れ筋商品や死に筋商品の管理
　③販売促進の評価
　④発注や納品の単品管理

Let's Try 一問一答

○×問題に答え、正解したらチェックマーク ☑ を入れましょう

☐ ① POSターミナルは、レジスター（精算業務）機能とPOS（販売時点での売上情報）機能を持っている。

☐ ② ストアコントローラは、POSデータの管理と分析を行うコンピュータである。

☐ ③ 小売業で販売される段階においてJANコードを印刷・表示することをソースマーキングという。

☐ ④ JANコードにある国コードは、最後の2桁である。

☐ ⑤ JANコードの企業（メーカー）コードに更新はない。

☐ ⑥ JANコードを製造・出荷段階で、パッケージに直接表示することをソースマーキングという。

【解答・解説】
①○　／②○　／③×　インストアマーキングの内容である。ソースマーキングは、製造・出荷段階で、商品包装（パッケージ）にJANコードを直接表示することである。／④×　最初の2桁である。／⑤×　企業（メーカー）コードは3年ごとに更新する。／⑥○

第3章

ストアオペレーション

Lesson 1 ストアオペレーションの基本

Lesson 2 包装技術の基本

Lesson 3 ディスプレイの役割と基本パターン

ストアオペレーションの基本

ストアオペレーションとは店舗運営業務のこと。これからの小売業はロスを減らすためのローコストオペレーションシステムを確立して、利益向上の仕組みを構築することが課題となる。

1 ローコストオペレーションシステムの構築

「利益」は「売上－経費」の計算式で求められます。計算式の「売上」を増やすか、「経費」を減らすと「利益」が増えます。いわゆるバブル期は経費が増えても、それ以上に売上を増やす売上至上主義で利益を増やしました。バブル崩壊後の現在は、経費を減らすローコストオペレーションシステムで利益を増やします。

2 利益向上のための仕組み

経費を減らして利益を増やすローコストオペレーションでは、作業のロスと経費のロスを減らします。

売上至上主義からローコストオペレーションに変化した理由は、売上が増えなくなっているからです。売上が増えない原因として、①売れる商品が店頭にない、②売れる商品はあるが、販売方法が悪いなどの理由で売れない、③売れない商品が店頭を占めていて、売れる商品を並べられない、ということがあります。この原因の解決とローコストオペレーションの仕組みによって利益が向上します。

■利益向上の体系図

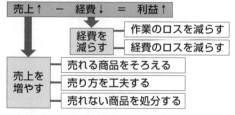

キーワード

作業のロス
ムリ・ムラ・ムダがある非効率な作業による損失。

経費のロス
売上に直結しない販売促進費や人件費などの経費による損失。意味のない安売りチラシ広告を多用すると安売り時しか売れなくなる。

③ 開店準備

　ローコストオペレーションのためには、開店前の的確な準備が必要不可欠です。

（1）3Sによるクリンリネス

　クリンリネスは「掃除」や「清掃」という意味で、具体的に整理・整頓・清掃の3Sを実践します。さらに短時間の朝礼で、従業員全員の意思統一をします。クリンリネスと朝礼で、顧客が気持ちよく買物ができる準備をします。

①整理…乱れた商品を整え、不要なものを取り除くこと

②整頓…商品などの保管場所を決めて、片づけること

③清掃…拾う・掃く・拭く・磨くことで、清潔にすること

■整理・整頓・清掃の3S

（2）クリンリネスの注意点

　クリンリネスの実践の際には、次のことに注意して行います。

①時間を決めて、定期的に実施

②汚れやゴミを見つけたら、速やかにその場で掃除

③看板や灰皿、出入口周辺や駐車場、駐輪場も掃除

④バックヤード（倉庫、事務所、休憩所など）も掃除

掃除中に顧客が近づいてきたら、手を止めて挨拶しましょう。

（3）レジ操作の準備

　レジ業務をスムーズにするために、次の作業を行います。

①レジや包装台の清掃、買物カゴの整理・整頓

②スーパーバッグや伝票、ポリ袋、レジ袋の補充

③レジの日付やレシート、プリンターのチェック

④つり銭の準備

⑤連絡事項の確認

⑥身だしなみのチェック

クレジットカードの処理に備えて**信用照会（CAT）**端末も準備し、精算時にはリボルビング払いなどの支払方法を尋ねます。

必要に応じて、顧客自身が精算するPOSレジである**セルフチェックアウト・システム**や電子マネーの専用リーダーも準備します。

（4）朝礼・ミーティング

顧客満足の高い売場をつくるためには、全従業員が意思を**統一**することが大切です。全従業員の意思統一のために、朝礼やミーティングをします。朝礼では、経営方針や前日の**業務引き継ぎ**事項などの重要事項を短時間で確認します。ミーティングでは、接客の確認や**目標達成**の対策などを、時間をかけて話し合い、やる気やモラールを向上させます。

4 日常の運営業務

（1）店舗の商品管理サイクル

店舗の商品管理は「**品ぞろえ計画**」→「**補充発注**」→「**荷受・検収**」→「**値付**」→「**補充・ディスプレイ**」→「**販売**」の順に行われます。「販売」の成否をPOSデータで確認した結果を、次の「**品ぞろえ計画**」に活用します。

（2）補充発注システム

商品の補充発注システムで代表的なものは、次の通りです。

①EOS（補充発注システム）

電子発注方式の補充発注システムがEOSである

②EDI（電子データ交換）

EOSなどで使われ、異なる企業や組織間で使用する電子データ交換がEDIである

モラール
目標を達成しようとする意欲や態度。勤労意欲。

補充発注
スポットで一時的に売れる商品でなく、いつも売れる定番商品について、少なくなった在庫を補充する発注。

値付
商品に値札ラベルを貼付する作業。ハンドラベラーなどの道具を使うことがある。

プラスワン
EDIによって、注文書や請求書などの書類をコンピュータに置き換えることでペーパーレスが実現できる。

■商品管理サイクルと EOS、EDI

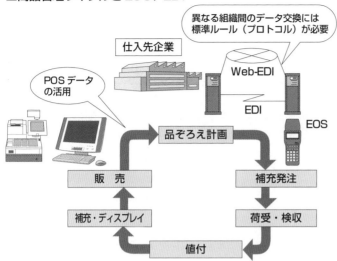

（3）発注の形態

発注には、定番商品に関する補充発注と、新規商品や随時の販売促進商品に関する初期発注とがあります。

■補充発注と初期発注

補充発注	継続的に一定の仕入先に発注する定番商品に関する発注。的確な在庫数量の把握や販売予測が必要である
初期発注	新規取扱商品や随時の販売促進商品に関する発注。発注の都度に仕入れ条件を決める

（4）荷受・検収と商品補充業務

仕入先企業から配送された商品を受け取ることを荷受といいます。発注書・納品書・納品された商品の３つを照合して、商品や数量の間違い、不良品の有無などの確認をすることを検収（検品）といいます。

売場の商品が少なくなったら、バックルーム（バックヤード）から売場に商品補充します。その際には、**先入れ先出し陳列**の原則と**前進立体陳列**の原則があります。

①先入れ先出し陳列の原則

日付の**古い商品から先に補充する**

キーワード

先入れ先出し陳列

先に仕入れた古い商品を先に売場に並べること。商品を売場に並べるときに古い商品を手前にして新しい商品を奥にすること。

前進立体陳列

商品を並べるときに、商品を手前（顧客側）に前進させて、商品を取りやすくすること。

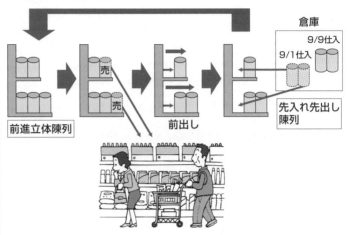

■先入れ先出し陳列のイメージ

前進立体陳列

売

売

前出し

倉庫

9/9仕入

9/1仕入

先入れ先出し
陳列

顧客に近い位置の商品から売れていく

②前進立体陳列の原則

商品を前に出して**立体的**に陳列する

■前進立体陳列のイメージ

よくある質問

Q 先入れ先出し陳列の原則を具体的に教えてください。

A 先入れ先出し陳列は、先に入庫したものから先に出庫するという意味です。たとえば倉庫に9月1日入庫分と9月9日入庫分があったら、9月1日入庫分を先に出庫します。出庫した商品を棚に補充するときは、すでに売場にある商品を棚の手前側に前出しして、棚の奥側の空いたスペースに並べます。

5 メンテナンス業務

実際の売場において、店内の表示物や売価表示の基本事項については、特に注意が必要です。

（1）店内の表示物・サイン

店内の案内や誘導、告知などの表示物は文字より絵文字の方がよいとされています。日本語がわからない外国人や子ども、お年寄りなど、多くの人が理解できるからです。多くの人が理解できる絵文字として、**ピクトグラム**という絵文字体系があります。表示物に破損や汚れがあったら、すぐに交換や清掃をします。

 **キーワード**

ピクトグラム
一般案内用図記号検討委員会が定めた、わかりやすい案内用の文字。

■ピクトグラムの絵文字案内表示

非常口	トイレ	飲料水	エスカレーター

（2）売価表示

売価表示するとき、消費税は総額表示である**内税方式**で表示します。本体価格と消費税額だけを表示して税込金額を表示しない外税方式は原則として認められていません。消費税の内税表示例は次の5種類です。

プラスワン
2021年3月31日までは、特例として外税方式の表示が認められていた。

外税方式での表示は、原則として認められていません。

①11,000円

②11,000円（税込）

③11,000円（本体価格10,000円）

④11,000円（うち消費税1,000円）

⑤11,000円（本体価格10,000円、消費税1,000円）

　外税方式では、（本体価格10,000円、消費税1,000円）とだけ表示するので、買物の支払総額がわかりにくいです。

６ チェックアウト業務

（1）レジ係の仕事

　レジ係には４つの仕事があります。チェッカーとキャッシャーを兼ねることが多いです。レジ部門は、顧客の買物の最終段階であり、店舗のイメージを決定づける重要なポジションともいえます。

キャッシャーとチェッカーを一人で兼ねている小売店が多いですね。

■レジ係の仕事内容

サービス係	チェッカーや顧客の要望に対応する
サッカー	買上商品を包装または袋詰めする
チェッカー	商品バーコードスキャンと金銭授受をする
キャッシャー	チェッカーの仕事のうち、金銭授受をする

（2）レジでの接客

　顧客の来店時には、明るく元気のよい声で挨拶をします。また、状況に応じた、正しい接客話法を心がけることが必要です。

■主な接客話法の例

・お待ちいただくとき

　　恐れ入りますが、少々お待ちください。

・お待ちいただいたとき

　　たいへんお待たせいたしました。

・こちらに来てもらいたいとき

　　どうぞ、こちらにお越しください。

・他の場所で確認してほしいとき

　　恐れ入りますが、○○売場でお聞きいただけますで

しょうか。

・**よいかどうかの確認をするとき**

　　よろしいでしょうか。

・**名前や住所を聞くとき**

　　恐れ入りますが、お名前とご住所をお聞かせいただけますでしょうか。

・**細かいお金の持ち合わせを聞くとき**

　　恐れ入りますが、〇〇円、お持ちでございますか。

・**並ばずに割り込む顧客がいるとき**

　　恐れ入りますが、お並びいただけますでしょうか。

7 ミーティングの特徴

　売上目標や利益目標を達成するために、全員の意思を統一することが必要です。全員の意思を統一するための、時間をかけたコミュニケーションの場としてミーティングがあります。

（1）ミーティングにおける中立的リーダー

　リーダーが次のような**中立的な立場・調整役**になることで、効果的・効率的にミーティングを実施できます。

①テーマの設定や進め方の決定などの事前準備をする

②リーダー自身の発言よりメンバーの**発言機会**を優先する

③メンバーの発言を他のメンバーにフィードバックする

④少数意見のメンバーにも発言の機会を与える

⑤議論が大きく脱線したら、適宜、問題を整理する

⑥１つのテーマに対して、できる限り全員の意見を求める

（2）全員が納得する結論のまとめ方

　議論を中途半端に打ち切ったり、安易な多数決で結論を出すのではなく、結論の持ち越しや再度の話し合いをします。

ストアオペレーションに関する用語

利益向上のための仕組み	作業のロス：非効率な作業
	経費のロス：売上に直結しない、意味のない経費
開店準備	3S：整理、整頓、清掃
発注業務	EOS：補充発注システム
商品補充	先入れ先出し陳列の原則：古い商品から先に補充する
	前進立体陳列の原則：商品を前に出した立体的陳列
売場チェックの基本	ピクトグラム：多くの人が理解できる絵文字体系
	売価表示：消費税は内税方式
ミーティング	ミーティングは意思統一の場

Let's Try 一問一答

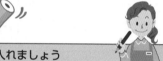

○×問題に答え、正解したらチェックマーク ☑ を入れましょう

- ☐ ① 3Sは清掃・清潔・整頓である。
- ☐ ② 商品などの保管場所を決めて片づけることを、整理という。
- ☐ ③ 補充発注は、スポットで一時的に売れる商品の発注である。
- ☐ ④ EOSは電子データ交換のことである。
- ☐ ⑤ 仕入先企業から配送された商品を受け取ることを検品という。
- ☐ ⑥ 検収では、発注書と納品された商品の2つだけを照合する。
- ☐ ⑦ 前進立体陳列では、商品を前に出して、立体的に陳列する。
- ☐ ⑧ 多くの人が理解できる絵文字として、ピクトグラムがある。
- ☐ ⑨ 売価として、税込金額を表示する必要はない。
- ☐ ⑩ ミーティングでは、議論が中途半端でも、終了予定時刻になったら打ち切る。

【解答・解説】
①× 3Sは整理・整頓・清掃である。／②× 整理は、乱れた商品を整えて、不要なものを取り除くこと。整頓は、商品などの保管場所を決めて、片づけること。／③× 補充発注は、コンスタントに売れる定番商品の発注である。／④× EDIが電子データ交換。EOSは補充発注システムである。／⑤× 仕入先企業から配送された商品を受け取ることは「荷受」である。／⑥× 検収では、発注書・納品書・納品された商品の3つを照合する。／⑦○ ／⑧○ ／⑨× 消費税は総額表示である内税方式で、税込金額は必ず表示する。／⑩× 全員が納得するように、議論を中途半端に打ち切ったり、安易な多数決で結論を出さずに、結論の持ち越しや再度の話し合いをする。

包装技術の基本

Check!

包装には、商品を保護するだけでなく販売促進の役割もある。包装技術は種類や方法を学ぶとともに、その意義や目的、心構えを意識することで顧客満足につながる。

1 包装の目的と心構え

商品の包装は、販売の際の重要なポイントとなります。目的にかなった包装は顧客の満足に結びつきます。

（1）包装の段階

包装には「個装」「内装」「外装」の3段階があります。個装は、商品本体自体を入れる容器で商品個々の包装、内装は個装を外部圧力から守る包装、外装は保管や内容表示、輸送に必要な梱包の包装です。

■包装の種類と目的

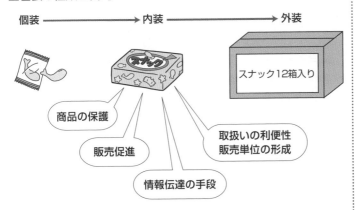

（2）包装の目的

包装には次の目的があります。

①商品の保護
　商品を破損、汚損・品質劣化から保護する

🎁 **プラスワン**

「包装とは、物品の輸送、保管などにあたって、価値および状態を保護するために適切な材料、容器などを物品に施す技術および施した状態」とJIS（日本産業規格）で規定されている。

②取扱いの利便性

　保管やディスプレイをしやすくする

③販売単位の形成

　売りやすく、買いやすい販売単位を形成する

④販売促進

　他の商品より魅力的に見せる要因になる

⑤情報伝達の手段

　ブランドマークや価格などを表示する

（3）包装の心構え

　商品を包装する際には、次のようなことを心がけることが大切です。

①商品をよく調べる

　商品汚れや破損、色やサイズ、個数を確認する。進物品（しんもつひん）の場合は必ず値札を取る

②商品に合わせて細かい配慮（はいりょ）をする

　商品の大きさに合わせた包装紙を選ぶ。貴重品ならば二重に包装し、壊れやすい商品はパッキングするといった配慮をする

③スピーディに包む

　買う商品が決まるまではゆっくりと、決まったら手早く応対することが接客の原則。スピーディに、しっかりと、きれいな包装をする

④美しく包む

　包装技術そのものを付加価値として認めてもらえるような美しい包み方を工夫する

⑤過剰（かじょう）包装にならないようにする

　時間や経費を節約しながら、顧客一人ひとりの状況を考えて適正な包装をする

⑥責任を持って感謝の念を込めて包む

　顧客が商品を使用するときに、最上の状態になっているように包装する

最近では、セルフサービス方式の小売店が増えて、ビニール袋や紙袋を使う人が増えていますが、包装の重要性は変わりません。最低限の包装技術は身につけておきましょう。

② 包装の種類と方法

　包装には、さまざまな種類がありますが、商品の形状などに合った包装方法を選びます。

（1）基本形

　基本の包み方としては、次のものが代表的です。

①斜め包み

　丈夫に美しく手早く包める包装の基本で、包み終わりが箱の中心にくるように包む

②合わせ包み（キャラメル包み）

　包装を開きやすく、箱を回転させることができない場合でも包むことができる。うれしい出来事のパーソナルギフトなどに用いられる

③ふろしき包み（スクエア包み）

　回転させられないものや高さのあるものを包む場合に便利な方法である。箱などを包装紙の中心に斜めに置いて、包装紙の4つの角を立ちあげて包む

④斜め合わせ包み

　正方形に近い形の箱を包む場合に便利な方法である。左→右→下→上の順で包装紙を折る。狭い場所でも包める

■包装の基本形

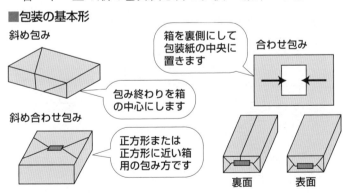

斜め包み

箱を裏側にして包装紙の中央に置きます

合わせ包み

包み終わりを箱の中心にします

斜め合わせ包み

正方形または正方形に近い箱用の包み方です

裏面　　表面

（2）応用形

　カーテンレールなど、棒状の商品を包むときは、らせん型包装を用います。T型定規は、細長い部分と頭の部分と

プラスワン

慶事では、右側を上（右前）、弔事では左側を上（左前）の包み終わりにする。

を分割して包装する**分割包装**、びんは、**横にした状態**で包装します。

■**特殊な包装**

らせん型包装

分割包装

3 ひも・リボンのかけ方

　ひものかけ方では、**十文字**、**N字**、**キの字**が基本形です。

　ひもをかけるときは、包装台から商品をつき出して、商品の**角**でひもを結ぶことが、ひもがゆるまなくなるコツです。

　重い商品は、ハの字型にひもをかけ、**ハンガー**をつけて持ちやすくします。縦に2本のひもを平行にかけて**ハンガー**をつけた後に、下の部分を左右に押し広げます。

　商品にフラワーリボンを十文字にかけるときは、長方形の箱の**右上方**にフラワーリボンをずらすと、美しく見えます。

■**ひも・リボンのかけ方**

十文字　　　　　　　　　N字　　　　　　　　　　キの字

リボンは右上方で結ぶ

4 和式の進物包装

　和式の進物を包むときには、さまざまな約束事があります。

（1）表書き

　贈り先の氏名の上に書く言葉を表書きといいます。慶事のお返しでは「内祝」、弔事のお返しでは「志」と書きます。慶事のときは墨の色を濃くします。弔事のときは、悲しみの涙を表現して、墨の色を薄くします。

（2）水引き

　贈り物にかけた細い「こより」が変化したものが水引きです。水引きは、慶事と弔事で色や結び方が違います。

①色の違い

　慶事の場合は**紅白**または**金銀**、弔事の場合は、**黒白**または**銀白**、**黄白**

②結び方の違い

　結び方には、**蝶結び（花結び）**と**結び切り**があり、**蝶結び**は、そのことが繰り返されてほしい場合に用いる。繰り返すことを表現して、こよりで円をつくる。**結び切り**は、そのことが繰り返されないでほしい場合に用いる

■かけ紙のイメージ

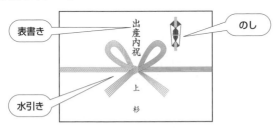

表書き　出産内祝　のし
水引き　上　杉

●慶事の場合

　蝶結び（花結び）と結び切りとを使い分けます。繰り返されてほしい慶事では**蝶結び**にしますが、繰り返されないでほしい慶事では**結び切り**にします。たとえば、長寿祝いでは長生きしてほしい気持ちを表現して蝶結びにします

プラスワン

一般の進物の謝礼の表書きには、「御礼」と「寸志」がある。「寸志」は、相手が目下の場合に使う。

プラスワン

「あわじ結び」は結び切りの1つで「末永くよいお付き合いをしたい」という思いで慶事と弔事との両方に使われる。

のしとは、「のしあわび（熨斗鮑）」のこと。あわびの身を薄く長く切りよく伸ばして干したものを、儀式の肴として用いたあと、慶事の贈り物に添えて使われていました。今では簡略化されて、印刷したものも使われていますね。

が、繰り返すことを予定しない結婚式のお祝いでは結び切りにします。

●弔事の場合

弔事は繰り返されないでほしいので、結び切りにします。

■水引きの色と結び方

慶事　蝶結び

慶事　結び切り

弔事　結び切り

（3）かけ紙

かけ紙を品物にかけた場合に、裏側で重なるときは、慶事なら右側を上にして、弔事は左側を上にします。

かけ紙が品物からはみ出る場合は、切らずに下から折り曲げます。品物が魚のときは、のしをつけません。

（4）表書きと水引きの具体例

用途によって、使用する表書きや水引きが違ってきます。

①結婚祝い

表書き	寿、御祝（お返しは「内祝」）
水引き	金銀または紅白結び切り

②出産祝い

表書き	祝御出産、御出産御祝、祝御誕生
水引き	紅白蝶結び

③長寿祝い

数え年61歳を還暦という。70歳を古希、77歳を喜寿、88歳を米寿、99歳のお祝いを白寿という

表書き	寿、御祝（お返しは「内祝」）
水引き	紅白蝶結び

よくある質問？

Q 結婚記念日と長寿祝いの水引きの色や結び方をどうやって覚えればいいですか。

A 色と結び方に分けて考えるようにしましょう。

（考え方）

①色…結婚記念日も長寿祝いも慶事です。

②結び方…結婚記念日は結婚生活が続くことのお祝いです。

　長寿祝いは、長生きしていることのお祝いです。

　以上の（考え方）から、次のようになります。

・結婚記念日…紅白または金銀蝶結び

・長寿祝い…紅白蝶結び

要点マスター

和式の進物包装方法

表書き	慶事：お返しでは「内祝」。墨の色を濃くする
	弔事：お返しでは「志」。墨の色を薄くする
水引きの色	慶事：紅白または金銀
	弔事：黒白または銀白、黄白
水引きの結び方	慶事：長寿祝いなど繰り返してほしいもの：蝶結び
	慶事：結婚祝いなど１度きりのもの：結び切り
	弔事：結び切り
かけ紙	かけ紙を品物にかけた場合に、裏側で重なるときは、慶事なら右側を上、弔事は左側を上にする
	かけ紙が品物からはみ出る場合は、切らずに下から折り曲げる
	品物が魚のときは、のしをつけない

Let's Try 一問一答

○×問題に答え、正解したらチェックマーク ☑ を入れましょう

☐ ① 「包装とは、物品の輸送、保管などにあたって、価値および状態を保護するために適切な材料、容器などを物品に施す技術および施した状態」とJASで規定されている。

☐ ② 個装を外部圧力から守る包装を内装という。

☐ ③ 包装は商品を保護するものであり、販売促進の目的はない。

☐ ④ 斜め包みでは、包み終わりが箱の隅にくる。

☐ ⑤ 斜め合わせ包みは、右→左→上→下の順で包装紙を折る。

☐ ⑥ 慶事は左前、弔事は右前の包み終わりにする。

☐ ⑦ ひものかけ方の基本形は、十文字、N字、八の字である。

☐ ⑧ 商品の中心でひもを結ぶと、ひもがゆるまない。

☐ ⑨ 慶事のとき、表書きの墨の色を薄くする。

☐ ⑩ 慶事のお返しの表書きは「志」である。

☐ ⑪ 弔事の場合、水引きの色は黒白または金銀である。

☐ ⑫ 結婚式のお祝いと弔事では、水引きの結び方は同じである。

☐ ⑬ 慶事の進物で、かけ紙が裏側で重なるとき、左側を上にする。

☐ ⑭ 和式進物包装では、どんな進物でも必ずのしをつける。

☐ ⑮ 結婚祝いの水引きの結び方は、結び切りである。

☐ ⑯ 還暦のお祝いの水引きの結び方は結び切りである。

【解答・解説】
①× 設問の定義はＪＩＳ（日本産業規格）で規定されている。／②○ ／③× 包装には商品を保護する目的に加え販売促進の目的もある。／④× 斜め包みでは、包み終わりが箱の中心にくる。／⑤× 斜め合わせ包みは、左→右→下→上の順で包装紙を折る。／⑥× 慶事は右前、弔事は左前の包み終わりにする。／⑦× ひものかけ方の基本形は、十文字、N字、キの字である。／⑧× 商品の角でひもを結ぶと、ひもがゆるまない。／⑨× 慶事のとき、表書きの墨の色を濃くする。／⑩× お返しの表書きは慶事が「内祝」で弔事が「志」である。／⑪× 水引きの色は、慶事の場合に紅白または金銀、弔事の場合は黒白または銀白、黄白である。／⑫○ 結婚式のお祝いも弔事も、水引きの結び方は結び切りである。／⑬× かけ紙が裏側で重なるとき、慶事なら右側を上にして、弔事は左側を上にする。／⑭× 品物が魚のときは、のしをつけない。／⑮○ ／⑯× 還暦などの長寿祝いの水引きは、紅白蝶結びである。

ディスプレイの役割と基本パターン

学習のPOINT

頻出度 ★★★

ディスプレイとは商品価値の訴求により購買に結びつける手段である。ショーケース陳列やカットケース陳列など陳列器具によるものと、ジャンブル陳列のように販売方法によるものがある。

1 ディスプレイに必要な要素

ディスプレイとは、「何を」、「いくつ」、「どこに」、「どの高さまで」、「どの面を顧客に向けて」、「どのような形で」、「どの商品と一緒に」、「どのような色の組み合わせで」配置するかを決めることです。

よいディスプレイとは、顧客ニーズに合う商品を、適切な場所に適切なボリュームで陳列することです。

2 ディスプレイの評価基準

商品をディスプレイする際の留意点として、次のような点が挙げられます。

①商品は見やすいか？
　商品の売りを強調し、顧客の購買心理を高める

②商品に触れやすいか？
　価値がわかるように、顧客に触れさせやすくする

③商品は選びやすいか？
　商品の関連性を考えて分類するなど選びやすくする

④商品に豊富感（深さ、幅広さ）があるか？
　品種を多く、または品目を多くして豊富感を演出する

⑤商品は魅力的か？
　照明や陳列器具を効果的に用いる

⑥効率的に作業が行えるディスプレイか？
　商品の補充に無駄な時間をかけない方法を考える

3 ゴールデンラインを意識したディスプレイ

小売店の業種・業態によって見やすさと触れやすさの範

プラスワン

平台陳列には、アンコ（ダミー）を重ねて土台をつくってボリューム感を出すこともできるが、商品が横にはみ出さないように仕切り板を利用してスペースを確保する必要がある。

プラスワン

ハンガー陳列には、商品を詰めすぎると、顧客が商品の出し入れや、商品選択に手間取るというデメリットがある。

囲は異なります。ゴールデンラインを意識しながらディスプレイを実施します。

4 陳列器具の形状による基本パターン

（1）平台陳列

平台は、衣・食・住の3部門にわたり、バーゲン商品から高級品にまで広く使われています。

メリット	・店内の見通しがよい ・商品を積み上げられる ・軽くて店内移動しやすい ・商品に触れやすい
デメリット	・スペースを取る ・積み上げた商品が崩れやすい ・商品が傷みやすい

（2）ハンガー陳列

ハンガーを用いて商品を陳列します。主に衣料品に利用されます。

メリット	・商品が型崩れしにくい ・商品に触れやすい ・早く陳列でき、作業がしやすい	デメリット	・商品分類を間違えやすい ・商品のフェイスが見えない ・ほこりなどの汚れがつきやすい

（3）ゴンドラ陳列

定番商品や売れ筋商品を、手に取りやすい高さの棚に棚板で区切って陳列します。

メリット	・商品のフェイスをそろえやすい ・小物商品を多数陳列できる ・商品が崩れにくく、傷みにくい
デメリット	・商品間に空きスペースができやすい ・補充や前出しが手間になる ・目立たない部分がある

（4）フック陳列

　フック用にパッケージされた商品を、フックバーに掛ける陳列方法です。

メリット	・見やすく、在庫を把握しやすい
デメリット	・大量陳列や、大きな商品を陳列できない ・商品を取りにくい

フック陳列は、最近ではスナック菓子売場でもよく見かけますね。

（5）ボックス陳列

　箱型の仕切りのある陳列器具に、商品の分類基準によってディスプレイする陳列方法です。

メリット	・商品の分類基準を明確にでき、分類しやすい
デメリット	・商品全体が見えにくい ・顧客が手に取りづらい

（6）ショーケース陳列

　商品をショーケースに陳列し、販売員が商品を取り出して顧客に見せる陳列方法です。

メリット	・商品が汚れにくく、高級感が演出できる
デメリット	・商品全体が見えにくい ・顧客が商品を手に取りづらい

プラスワン

ショーケースには、ウインドタイプ、カウンタータイプ、アイランドタイプの３つがある。

3章　ストアオペレーション

（7）エンド陳列

　ゴンドラ陳列の変形。ゴンドラの端に１〜２品目の商品を大量陳列し、顧客を自然にゴンドラの通路に誘引します。

メリット	・顧客の目につきやすい ・売りたい商品を訴求できる ・安さを訴求できる
デメリット	・通路をふさぎやすい ・陳列に手間がかかる ・よく売れるため、売場が乱れやすい

（8）ステージ陳列

　売場にステージをつくって商品をディスプレイする陳列方法です。ショーウインドウ的な役割を果たします。

メリット	・テーマを強調できる ・商品に触れやすく、使用感を訴求できる ・店内をイメージアップできる
デメリット	・商品が汚れやすい ・場所を取る ・陳列に時間と技術が必要

プラスワン

カットケース陳列は、スーパーマーケットやディスカウントストアで用いられる。

（9）カットケース陳列

　商品の入っているダンボール箱を切り込み、商品が入ったまま積み上げるディスプレイです。食料品や水など、主に日常必需品が陳列対象です。

メリット	・割安感とボリューム感を訴求できる
デメリット	・ダンボール箱のカットに時間がかかる ・ディスカウンターのイメージが定着する

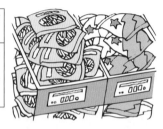

5 販売方法による基本パターン

（1）前進立体陳列

　商品のフェイスをそろえて手前から（前進）積み上げ（立体）、商品の迫力感^{はくりょく}を顧客に訴求する陳列方法です。商品が売れると手前に空きスペースができるので、奥の商品を前に出す作業（前出し）が必要です。

メリット	・商品が見やすく、選びやすい ・迫力感を訴求できる
デメリット	・在庫量を把握しづらい ・商品を手前に出す作業が必要

（2）ジャンブル陳列

　商品をバラバラに投げ込んだように陳列するディスプレイです。投げ込み陳列ともいわれます。

メリット	・陳列が簡単である ・安さを訴求できる ・衝動買いを誘発できる
デメリット	・商品が傷みやすい ・品質イメージが下がる ・陳列に大量の商品が必要

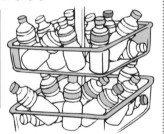

鮮魚売場でよく見られる、トロ箱に魚を入れて販売する方法も、ジャンブル陳列の一種なんですね。

（3）コーディネート陳列

　併用^{へいよう}して使用すると便利な複数の商品を組み合わせて陳列するディスプレイです。

メリット	・商品の好感度が上がる ・売場に変化が出る ・使用感をイメージできる
デメリット	・陳列に感性と技術が必要 ・陳列に時間がかかる

3章　ストアオペレーション

（4）オープン陳列

顧客が自分で商品を選択し、近くのレジで精算できるセルフセレクション方式の売場で利用されるディスプレイです。平台などに、商品をそのまま陳列します。

メリット	・商品を直接確認できる ・ニーズの高い商品がわかる	デメリット	・商品の汚れや劣化が進みやすい

（5）サンプル陳列

見本品をディスプレイし、商品は別の場所に置きます。見本品と商品を一緒に陳列する場合もあります。

メリット	・使用した際の商品価値がわかりやすい ・顧客が注目しやすい ・商品の組み合わせや比較をしやすい	デメリット	・量感を訴求できない ・在庫スペースが必要である

（6）レジ前陳列

セルフサービス方式を取る店舗のレジ前に商品を陳列する方法です。

メリット	・レジを通過する多くの顧客の目につく ・ついで買いや衝動買いを誘発できる
デメリット	・レジ前が混雑する ・商品をゆっくり選べない

（7）島（アイランド）陳列

店舗の通路に平台やカゴなどで商品を陳列し、回遊する顧客の目を引くディスプレイです。

メリット	・商品に触れやすい ・衝動買いを誘発できる ・顧客の目につく ・安さを訴求できる
デメリット	・通路スペースが狭くなる ・品質イメージが下がる ・陳列が乱れやすい

（8）壁面陳列

　店舗の壁面に商品を陳列するディスプレイであり、多くの店舗で採用されています。

メリット	・商品の豊富さを訴求できる ・商品が目立ちやすい
デメリット	・陳列に時間がかかる ・高所などに売れ行きの鈍い部分が生じる

（9）ショーウインドウ陳列

　店舗の入口付近にショーウインドウを設置し、店外を歩く顧客に商品をアピールするためのディスプレイです。

メリット	・顧客を店内に誘導できる ・総合的演出ができる	デメリット	・商品に触れられない

（10）ファッション衣料の陳列

①空間コーディネート

　空間コーディネートには、全体が立体的三角形になるように陳列する**三角構成**を基本にして、色違いやサイズ違いの商品で同じ陳列を繰り返す**リピート構成**、左右対称に陳列する**対称構成（シンメトリー構成）**、左右を非対称に陳列する**非対称構成（アシンメトリー構成）**、商品を1ヶ所に集中して陳列する**集中構成**、陳列フレームからはみ出るように陳列する**拡散構成**がある

三角構成

②カラーコーディネート

　赤・橙・黄など暖色系の目立つ色（**誘目性**の高い色）を使って、遠くからでも目立つようにする。**テーマカラー**で統一しながら**アクセントカラー**でメリハリをつけて単調にならないようにする。色数の多い商品は、虹色順や、明るい色→暗い色、薄い色→濃い色といった規則性（**グラデーション**）を意識して陳列する

💡ステップアップ

ディスプレイ・パターンには、商品をたたんで見せる**フォールデッド**、ハンガーに掛けて見せる**ハンギング**、ハンガーに掛けたときに商品の正面を見せる**フェースアウト**と商品の袖を見せる**スリーブアウト**がある。

③什器備品

　什器備品には、演出小道具である**プロップ**、人体を再現したリアルマネキン、体の一部を誇張したものや、顔や頭部が平面になっている**アブストラクトマネキン**、頭部を彫刻的に製作した**スカルプチュアマネキン**、上半身ボディマネキンである**トルソー**、陳列補助器具である**ライザー**などがある

アブストラクト
マネキン

トルソー

Let's Try 一問一答

○×問題に答え、正解したらチェックマーク ☑ を入れましょう

☐	①	ゴンドラ陳列は、わざとバラバラに投げ込んだように陳列する方法である。
☐	②	ボックス陳列は、商品の入ったダンボール箱を加工して積み上げる陳列方法である。
☐	③	フック陳列は、パッケージ化された商品を壁面のバーにかけて陳列する方法である。
☐	④	商品の触れやすさを重視するときには、平台陳列やショーケース陳列を活用する。
☐	⑤	平台の上に商品を積み上げ、主通路に陳列することを島陳列という。
☐	⑥	レジ前陳列は、見本品をディスプレイすることで使用したときの様子を訴求でき、商品の破損も防止できる。
☐	⑦	コーディネート陳列は、店舗の飾り窓としての役割があり、顧客を店内に誘導する目的がある。
☐	⑧	体の一部を誇張したものや顔や頭部が平面になっているマネキンを、スカルプチュアマネキンという。

【解答・解説】
①×　ジャンブル陳列である。／②×　カットケース陳列である。／③○　文具や家庭用品のディスプレイに用いられることが多い。／④×　ショーケース陳列は商品に触れることができない。／⑤○　特売などで活用し、衝動買いを誘う。／⑥×　サンプル陳列のことである。／⑦×　ショーウインドウ陳列のことである。／⑧×　アブストラクトマネキンのことである。

第**4**章

マーケティング

Lesson 1 小売業のマーケティングの基本

Lesson 2 顧客満足経営と顧客維持政策

Lesson 3 フリークエント・ショッパーズ・
プログラムとは

Lesson 4 商圏設定と出店の基本

Lesson 5 リージョナルプロモーションの役割

Lesson 6 インバウンド（訪日外国人）に対する
プロモーション

Lesson 7 売場づくりの基本

Lesson 8 照明・光源・色彩の考え方

小売業のマーケティングの基本

マーケティングは「プロダクト」「プロモーション」「プライス」「プレイス」という4つのPから成り立つ。小売業のマーケティングは、マイクロ（パーソナル）・マーケティングである。

マーケティングは、競争の優位性を発揮するために市場への働きかけを行い、需要を創り出す活動といえます。

1 マーケティングの基本知識

（1）マーケティングとは

　マーケティングとは、「**市場において企業が自己の優位性を確立するための販売に関するさまざまな活動の革新**」であるとされています。激しく変化する市場環境の中で、顧客（こきゃく）に満足をもたらし、競争に勝ち残っていくための活動であるといえます。

（2）販売志向とマーケティング志向

　販売志向とマーケティング志向は次のような違いがあります。

■販売志向とマーケティング志向の違い

販売志向	マーケティング志向
●目的は商品を売ること ●不特定多数の消費者が対象 ●商品と代金の交換活動 ●商品販売時点で完結	●目的は顧客の満足 ●特定多数の顧客が対象 ●需要を創造する活動 ●顧客が満足すれば完結

2 メーカーと小売業のマーケティングの違い

　メーカーのマーケティングと、小売業のマーケティングにはさまざまな相違点があります。それらの違いを理解した上で、効果的なマーケティングを行う必要があります。

　メーカーのマーケティングは大衆を対象としたマクロ・マーケティングであるといえます。それに対し、小売業のマーケティングは個（パーソナル）を対象としたマイクロ（パーソナル）・マーケティングであるといえます。

■メーカーと小売業のマーケティングの違い

メーカーのマーケティング	小売業のマーケティング
●マクロ（クラスター（集団））・マーケティングである ●全国的・国際的な広いエリア（グローバル志向）に展開する ●全国や世界の特定多数顧客（マジョリティ）を標的とする ●ブランド（市場）シェアを拡大する ●少品種を大量に販売する ●テレビCMなど高コストの活動が中心	●マイクロ（パーソナル）・マーケティングである ●商圏の狭いエリア（リージョナル志向）に展開する ●自店商圏内の特定少数顧客（マイノリティ）を標的とする ●来店率と購買率を拡大して顧客シェアを高める ●多品種を少量ずつ販売する ●チラシ広告など低コストの活動が中心

③ マーケティングの４Ｐ理論とは

　マーケティングの４Ｐ理論とは、「プロダクト」「プロモーション」「プライス」「プレイス」のことであり、従来、メーカーのマクロ・マーケティングは、これらに基づいて展開されてきました。近年、形づくられてきた小売業のマイクロ・マーケティングもこの４Ｐ理論に基づいていますが、メーカーのそれとは異なった特徴を持ちます。小売業の４Ｐ理論は、次の通りです。

①プロダクト（商品化政策）

　各メーカーが開発した商品を選択し、売場をつくる。商圏内顧客のニーズをきめ細かくとらえることが重要である

②プロモーション（店舗起点の狭域型購買促進策）

　店舗を活用したイベントやキャンペーン、クーポンの発行など、地域の購買需要を刺激する購買促進策を行い、固定客を獲得する

③プライス（地域基準の公正価格）

　地域の需要や競争状況を考慮し、公平で偽りのない適正売価を設定する。メーカーが希望小売価格を提示せず、小売店が市場価格を判断し、売価を設定する価格政策を「オープンプライス」という

 ステップアップ

品種ごとに１～２品目程度の商品に売れ行きが集中する現象を、**ガリバー型売れ行き現象**という。近年よく見られるようになった。

④プレイス（立地・店舗配置）

　どのようなニーズを持った顧客をターゲットとするかを検討し、どこに出店するか（立地・店舗配置）を判断する。その際には、出店する地域に対して商圏や競争店などを調査する、マーケティングリサーチを行う

要点マスター

小売業のマーケティング

- マイクロ（パーソナル）・マーケティング
- ローカルなエリアに展開
- 特定少数の顧客が標的
- 顧客シェア拡大をねらう
- 多品種を少量ずつ販売
- チラシ広告など低コストな活動が中心

小売業のマーケティングの４Ｐ理論

- プロダクト（商品化政策）
- プロモーション（店舗起点の狭域型購買促進策）
- プライス（地域基準の公正価格）
- プレイス（立地・店舗配置）

Let's Try 一問一答

○×問題に答え、正解したらチェックマーク ☑ を入れましょう

- □ ① マーケティングは、市場において、企業が他社との同質性を確立するための販売に関するさまざまな活動の革新である。

- □ ② マーケティング志向と販売志向は、ほぼ同じ意味の言葉である。

- □ ③ メーカーのマーケティングは、マイクロ・マーケティングである。

- □ ④ 小売業におけるマーケティングの４Ｐ理論とは、商品化政策、公正価格、立地・店舗配置、市場調査の４つである。

- □ ⑤ 小売業のマーケティングでは、品種の効果的組み合わせと数量を決定する商品化政策が重要となる。

- □ ⑥ 小売業のプライスは、全国標準価格である。

【解答・解説】
①× 「他社との同質性」でなく、「自己の優位性」である。／②× 販売志向とマーケティング志向は似ているが、違う意味の言葉。／③× メーカーのマーケティングはマクロ・マーケティング。／④× 小売業においては商品化政策、購買促進策、公正価格、立地・店舗配置の４つ。／⑤○ ／⑥× 小売業のプライスは、「地域基準の公正価格」である。

LESSON 2　顧客満足経営と顧客維持政策

学習のPOINT

顧客満足経営では、自店にとって重要な顧客一人ひとりの満足度を高めることを目指す。そのために、近年「顧客満足の新3原則」が注目されている。また、顧客維持政策運用が重要である。

頻出度
★★

1 顧客満足経営の基本知識

(1) 顧客志向の経営とは

近年、売上志向の経営に替わり顧客志向の経営が重要になってきました。

①売上志向の経営

市場シェアの拡大をねらい売上を追求すること。同質化競争になりやすい

②顧客志向の経営

「顧客は何を望んでいるか」「何を顧客に提供すべきか」を真剣に考え実践することで、顧客満足度向上のために、自店と顧客との双方向的な関係をつくること

(2) 顧客満足とは

顧客満足は、小売業の組織や経営のすべてを顧客中心に展開し、顧客の期待を超える商品やサービスの解決策で満足を提供することです。自店の都合優先のマニュアル型販売でなく、顧客中心で顧客の期待する内容やレベルを上回る商品やサービスを提供する思考型販売が求められます。

■顧客満足と顧客不満足

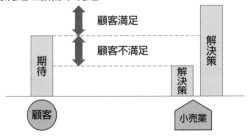

現代では、どうすれば顧客満足が得られるかを常に考える必要があります。

🎀 **プラスワン**

多くの小売店が同じような商品を扱い、似たような販売方法で競争することを**同質化競争**という。結局は価格競争になり、企業規模の小さい小売店が脱落していく。

2 顧客満足経営の新３原則

（1）顧客満足経営の新３原則とは

　顧客ニーズが多様化し、小売業における競争は一層激化しています。その結果、従来の考え方では顧客満足度を高めることが難しくなってきました。そこで、従来の顧客満足経営の旧３原則（商品・サービス・店舗）に加えて、以下に述べる**顧客満足経営の新３原則**が必要になっています。

①ホスピタリティ

　もてなしの精神を意味し、顧客のことを第一に考えて温かくお迎えすること

②エンターテインメント

　娯楽（ごらく）や余興（よきょう）を意味し、さらに、顧客の願いをかなえ、感動を与えるような従業員の行動も意味する

③プリヴァレッジ

　特権や特別待遇（たいぐう）を意味する。購入金額の多い顧客など重要な顧客を特別扱いし、満足度を高めること

■顧客満足経営の新旧３原則

よく利用するホテルでフルーツのサービスがあったり、行きつけのレストランで眺めのよい席に案内されたりするのが、プリヴァレッジによる顧客満足です。

顧客満足経営の旧３原則		顧客満足経営の**新３原則**
商　品 鮮度・品質・機能・ 品ぞろえ　など	＋	**ホスピタリティ** もてなしの精神
サービス 明るく親身な接客・ フォローアップ　など		**エンターテインメント** 娯楽や余興 顧客の感動
店　舗 清潔感のある売場・ 便利さ　など		**プリヴァレッジ** 特権や特別待遇

現代では両方が重要になってきている

3 顧客維持政策の基本知識

（1）顧客維持政策の必要性

　現代では、顧客に満足してもらい、長期的な関係をつく

る「固定客主義」を目指すことが重要です。既存の店舗に
繰り返し来店してくれる「生涯のパートナー（優良顧客）」
をつくるということです。そのために、顧客管理の仕組み
を活用します。これは、顧客の年齢、性別、家族構成、ラ
イフスタイル、趣味などをデータベース化し、それを用い
てマーケティング戦略を実行することです。

キーワード

固定客
既存店に来店し、商品
を繰り返し購入してく
れる顧客。顧客満足を
与えた結果として獲得
され、売上の安定化に
つながる。固定客でな
い顧客を流動客という。

4章 マーケティング

よくある質問

Q 顧客データを活用したマーケティング戦略にはどのようなものがありますか。

A 顧客に継続的に来店してもらうため、その顧客の好み
そうな商品をダイレクトメールで紹介したり、誕生日
に合わせて特典つきの案内状を送付したりすることなどが挙げ
られます。

要点マスター

顧客満足経営に関わる用語

売上志向の経営	売上を追求し、市場シェア拡大をねらう
顧客志向の経営	自店と顧客の双方向な関係をつくり、顧客満足度向上を目指す
顧客満足経営の旧3原則	商品：鮮度・品質・機能・品ぞろえ　など
	サービス：明るく親身な接客・フォローアップなど
	店舗：清潔さのある売場、便利さ　など
顧客満足経営の新3原則	ホスピタリティ：もてなしの精神
	エンターテインメント：娯楽や余興、顧客の感動
	プリヴァレッジ：特権や特別待遇
ギャランティード・サティスファクション・サービス	満足保障付サービスのこと

Let's Try 一問一答

○×問題に答え、正解したらチェックマーク ☑ を入れましょう
□ ① 現代では顧客志向の経営が重要となっている。
□ ② 顧客満足は、顧客の期待を超える解決策を小売業が提供することである。
□ ③ 顧客満足には思考型販売が求められる。
□ ④ 近年では、顧客のニーズが均一化している。
□ ⑤ エンターテインメントとは、もてなしの精神のことである。
□ ⑥ プリヴァレッジとは、特定の顧客を特別扱いせず平等に扱うことである。
□ ⑦ 顧客管理では、固定客をどのような方法で、どのくらい増やすことができるかを考える。

【解答・解説】
①○ ／②○ ／③○ ／④× 顧客ニーズは多様化している。／⑤× エンターテインメントとは、娯楽や余興、および顧客の感動のことである。／⑥× 特定の重要な顧客を特別扱いすることである。／⑦○

130

フリークエント・ショッパーズ・プログラムとは

> フリークエント・ショッパーズ・プログラムは、重要な顧客を優遇し、固定客化する仕組みである。効果的に運用するためには、会員特典や顧客データの活用などについても工夫が必要となる。

1 フリークエント・ショッパーズ・プログラムの基本知識

(1) フリークエント・ショッパーズ・プログラムとは

フリークエント・ショッパーズ・プログラム（FSP）は、会員を募集し、会員に対し各種の特典プログラムを提供することで、継続的に来店してもらう仕組みです。高頻度で来店し、より多くの商品を買ってくれる顧客を優遇します。

(2) FSPの必要性

小売業では「来店頻度が上位2割の顧客が、店舗全体の利益の8割を生む。」という「2：8の法則」が知られています。FSPはそういった優良顧客の満足度を高め、固定客化するねらいがあります。

小売業では、1年間に新規顧客の30％が店舗を離脱し、来店しなくなってしまうといわれています。現在の顧客のすべてが永久に買物をしてくれる保証はありません。この離脱していく顧客をいかにつなぎ止めるかが、経営を安定させるポイントとなります。

2 FSPの運用

FSPで固定客化をはかる顧客維持政策は次の手順で運用します。顧客維持政策は、すべての顧客に同じ特典を出す平等化ではなく、自店の売上や利益への貢献度により特典に差をつける公平化の政策です。

(1) FSPの運用の流れ

FSPは以下のような流れで運用されます。

> FSPを効果的に活用することで固定客を確保し、売上の安定化をねらうのですね。

ステップアップ

FSPはアメリカン航空のフリークエント・フライヤーズ・プログラム（FFP）が発祥とされる。その後、ホテル業界や小売業界に展開された。

①会員の募集

　会員カード発行などにより、来店顧客全体から、**会員顧客を識別する**

②会員顧客から優良顧客を識別

　購買（買物）時に会員カードを提示してもらい、会員ごとの購買履歴を顧客データとして蓄積。顧客データを分析し、来店頻度や購買金額が多い**優良顧客**を識別する

③優良顧客への特典を強化

　優良顧客への特典を強化し、優良顧客の**長期的な固定客**化をはかる

■顧客維持政策の全体像

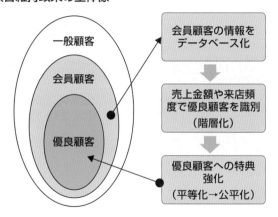

③ 顧客データ

　FSPでは、顧客データとして、**属性**データや履歴データを蓄積し、顧客そのものを把握します。顧客データにより、特売商品を多く買う顧客や推奨商品を多く買う顧客、来店頻度が高い顧客などを識別したり、顧客の変化に対応したりできます。

　属性データにより、販売促進やサービス、特典をどう強化すれば固定客化につながるかなどを、顧客ごとに検討します。

132

■顧客データ例

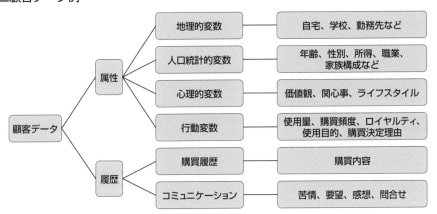

Q FSPとポイントカードとは、同じものでしょうか？

 両者には次のような違いがあります。

苦情、要望、感想、問合せは、顧客データの履歴─コミュニケーションに入ります。

	FSP	ポイントカード
ねらい	顧客とのよい関係づくり	売上高の増加
取組みの考え方	顧客満足度の向上策	販売促進の一手段
特典プログラム	エンターテインメントの各種優待など、優良顧客ほど優遇される	ポイント付与（2倍、3倍）による景品交換または割引など、買上金額に見合った特典
顧客へのアプローチ	優良顧客ほど手厚い特典を提供するが公平性を強調	ポイント2倍デーなど、すべての顧客に平等に提供
顧客データベース	顧客ごとに購入日時、購入品目、購入金額などの詳細データがある。顧客を優遇・維持するのに役立てられる	顧客ごとに購入品目などの詳細データがない。ある場合でも、顧客を優遇するのに役立てられない

フリークエント・ショッパーズ・プログラムに関するキーワード

FSP	会員を募集し、重要な顧客に特典を提供することで、継続的に来店してもらう仕組み
2：8の法則	来店頻度が上位2割の顧客が、店舗全体の利益の8割を生むといわれる法則

Let's Try 一問一答

○×問題に答え、正解したらチェックマーク ☑ を入れましょう

- ☐ ① FSPでは、優良顧客を特別扱いすることで顧客満足度を高める。
- ☐ ② 小売業では来店頻度が上位2割の顧客が、店舗全体の利益の約半分をもたらすといわれている。
- ☐ ③ FSPは、ポイントカードと同じ手法である。

【解答・解説】
①○　／②× 上位2割の顧客が、利益の8割をもたらすといわれている。／③× FSPはポイントカードとは根本的に異なる手法である。

LESSON 4 商圏設定と出店の基本

学習のPOINT

頻出度 ★★

Check!

商圏には地理的範囲と時間的範囲がある。また、小売店単独の商圏、商業集積の商圏、都市の商圏に大別される。小売店は、商圏の人口構造や競争店に留意する必要がある。

1 商圏の考え方

（1）商圏の定義

　商圏とは、店舗、商業集積、都市の顧客吸引力が及ぶ範囲のことです。店舗までの距離が何km以内かという**地理的な範囲**と、店舗までの所要時間が何分以内かという**時間的な範囲**があります。

小売業にとって商圏の特徴をとらえることは重要です。

（2）商圏の測定方法

　商圏の代表的な測定方法に、ハフモデルとライリーの法則があります。

①ハフモデル

　消費者が店舗を利用する確率は、店舗の売場面積に比例し、店舗までの距離に反比例する

■ハフモデルのイメージ

⇒売場面積に比例、店舗までの距離に反比例

商圏は、さまざまな角度からとらえる必要があるのですね。

ステップアップ

商圏の種類には、1店舗当たりの商圏を指す「小売店の単独商圏」、商店街など商業集積の商圏を指す「商業集積の商圏」、その都市に周辺都市から消費者が流れてくる範囲を指す「都市の商圏」がある。

②ライリーの法則

　都市Aと都市Bの中間にある都市Xから、都市Aと都市Bに流れる小売取引の比率は、都市A・Bの人口に比例し、都市Xから都市A・Bまでの距離の二乗に反比例する

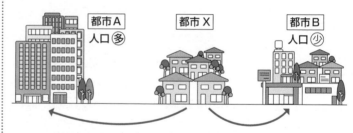

■ライリーの法則のイメージ

都市A 人口 多

都市 X

都市B 人口 少

⇒都市の人口に比例し、都市までの距離の二乗に反比例

（3）商圏の人口構造

商圏の特徴として、その商圏の人口構造に注目する必要があります。

①昼夜間人口比率

その商圏の夜の人口に対して、昼の人口がどのくらいの割合かを示す

②自然増減

出生者数と死亡者数の差を示す

③社会増減

転入者数と転出者数の差を示す

④年齢の３区分

０歳〜14歳を**幼年人口**、15歳〜64歳を**生産年齢人口**、65歳以上を**老年人口**という

2 立地のとらえ方

小売業では、どこに出店するかが業績を左右するといわれるほど、立地戦略が重要です。立地の決定要因としては、集客力・通行量・環境・出店コスト・歴史などがあります。

（1）立地選定の手順－マクロレベルの分析

①都市の土地柄

その土地の自然環境や文化・歴史から土地柄を分析する

②都市の盛衰度

人口の流出が多いのか流入が多いのか、交通網の状況や、自動車の普及度合いを分析する

③都市の産業構造や経済力

　昼夜間人口、製造品出荷額、商店数、小売業売場面積、小売業年間販売額などの指標を分析する

（2）立地選定の手順－マイクロ（ミクロ）レベルの分析

　マクロレベルの分析の後、マイクロ（ミクロ）レベルの分析を行います。

①商圏内の人口構成

　男女別の人口、年齢別の人口構成、町丁別の人口構成、世帯構成などを分析する

②商圏内の所得水準

　世帯別、町丁別の所得水準などを分析する

③店舗周辺の状況

　店舗周辺に、駐車場や駐輪スペースはあるか、歩道は整備されているかなどを分析する

（3）出店戦略の必須事項

①経営戦略との一体化と整合性

　「誰に（Who：標的顧客）、何を（What：標的顧客のニーズ）、どのような方法で販売するか（How：標的顧客のニーズに対する自社の独自能力）」のドメイン（事業領域）に合った立地

②出店エリア・店舗形態の確定

　地域集中（エリアドミナント）出店により、地域内の店舗認知度が高まり、配送効率も上がる

③店舗規模の設定

　顧客の歩きやすさや買いやすさ、小売業の採算性などから最適な店舗規模を設定する

④必要商圏人口の設定

　3年～5年先を見通して採算のとれる来店客数が確保できる商圏を維持する

⑤業種・業態に合った立地選定

　業種・業態・ストアコンセプトに合った立地条件を設定する

地域集中出店
既存の出店エリア内やその周辺に、高密度で多店舗出店する戦略。

必要商圏人口
店舗運営の採算がとれるターゲット顧客の来店客数が見込める地理的範囲。

4章　マーケティング

要点マスター

商圏範囲測定のための代表的な統計モデル

名　称	対　象	内　容
ハフ モデル	店舗と 消費者	売場面積に比例し、消費者が店舗に行くまでの距離に反比例する
ライリー の法則	2都市と 中間都市	2都市の人口に比例し、中間都市から2都市への距離の二乗に反比例する

Let's Try 一問一答

○×問題に答え、正解したらチェックマーク ☑ を入れましょう

- □ ① 商圏には、地理的範囲と時間的範囲がある。
- □ ② 商店街やショッピングセンターなどの商圏を都市の商圏という。
- □ ③ ハフモデルは、都市までの距離、都市の面積を使用して商圏を測定するモデルである。
- □ ④ 幼年人口は、0歳～19歳までを指す。
- □ ⑤ 老年人口は、61歳以上を指す。
- □ ⑥ 立地選定では、マイクロ（ミクロ）分析を実施した上でマクロ分析を実施する。
- □ ⑦ 事業領域は、誰に、何を、どのような方法で販売するかで定義される。
- □ ⑧ 地域集中出店により、配送効率が低下する。

【解答・解説】
①○　／②×　商業集積の商圏という。／③×　地域の人口、店舗までの距離、店舗の売場面積の3つを使用する。／④×　0歳～14歳までを指す。／⑤×　65歳以上を指す。／⑥×　マクロ分析を実施した上でマイクロ（ミクロ）分析を実施する。／⑦○　／⑧×　地域集中出店で配送効率は上がる。

リージョナルプロモーションの役割

リージョナルプロモーションは来店促進策、販売促進策、購買促進策で、その方法には、広告、パブリシティ、プレミアムなどがある。また、POP広告は、設置場所ごとに多くの種類がある。

1 リージョナルプロモーションの基本知識

（1）リージョナルプロモーションの３P戦略

リージョナルプロモーションには、次の３つがあります。

①来店促進策（アトラクティブプロモーション）

広告、パブリシティ、口コミ、ポスティングなどの**プル戦略**

②販売促進策（インストアプロモーション）

イベント、展示会、値引、プレミアム、**プッシュ戦略**としての顧客サービスや人的販売、非人的販売など。売る側の強制的行為

③購買促進策（インストアマーチャンダイジング）

フロアマネジメント、シェルフマネジメント、ビジュアルマネジメントなどの**プット戦略**。買う側への支援

2 プル戦略とプッシュ戦略の種類

（1）主な来店促進策（プル戦略）

①広　告

小売店などの広告主が**有料**で行う、視聴覚に訴える**非人的**な販売促進活動。マスメディア広告やインターネット広告、駅や交通機関内の交通広告、ダイレクトメール、チラシ広告、屋外広告、店内広告など

②パブリシティ

小売店や商品が、雑誌やテレビなどの記事・ニュースとして、原則的に**無料**で採用されるもの

キーワード

プル戦略
広告などにより顧客の需要を喚起し、購買を誘引する販売戦略。

プッシュ戦略
販売員が店頭で行う推奨販売など、顧客に向けて積極的に販売促進を仕掛ける戦略。

プット戦略
顧客が、自分の意思で商品を購入するように仕掛ける戦略。

インストアマーチャンダイジング
顧客心理を考えたレイアウトや棚割、ディスプレイ方法などによる売場活性化策。

ステップアップ

パブリシティはPR（パブリック・リレーションズ）の１つ。PRは、個人や組織が、その実態や主張を相手に知ってもらい、自分たちに対する考え方を変えてもらうための計画的な情報提供活動である。

③口コミ

　小売店や商品の**評判**が消費者の間に口から口へと伝わること

（2）主な販売促進策（プッシュ戦略）

　推奨販売や実演販売、カウンセリング販売、デモンストレーション販売、催事・イベントといった**人的販売**と、プレミアムやサンプル、コンテストといった**非人的販売**とがあります。

①プレミアム

　顧客が商品を購入したときに付与するおまけのこと。購入者全員に付与される**べた付プレミアム**、一部の購入者に抽選（ちゅうせん）で景品を提供する**スピードくじプレミアム**、商品の購入を条件としない**オープン懸賞プレミアム**など

②サンプル

　顧客サービスの1つで、見本品や試供品のこと

③コンテスト

　クイズ形式、アンケート形式、コンテスト形式

④値引き

　割引券を配布する**クーポン**や、代金の一部を返金する**キャッシュバック**、通常のままの価格で容量を増やす**増量パック**、少量で割安の特別品を用意する**お試しサイズ**など

③ POP広告

（1）POP広告とは

　商品を売る場所に掲示した広告です。一般社団法人日本プロモーショナル・マーケティング協会は「商品に関するディスプレイ、サインなどで、広告商品が販売される**小売店の内部**またはその建物に付属して利用されるすべての広告物である」と定義しています。

　POP広告には、①来店客を各売場に誘導する、②商品に視線を引き付ける、③商品のセールスポイントを説明する、④消費者の購買を促進する、などの役割があります。

POP広告は買上点数を増やし、チラシ広告は来店客数を増やします。

（2）POP広告の目的

「売上高＝客数×客単価」の計算式で考えられます。「客数＝来店客数×来店頻度」「客単価＝商品単価×買上点数」という計算式に細分化できます。

　主に小売店の内部にあるPOP広告は、買上点数を増やし、客単価を引き上げる目的があります。チラシ広告は来店客数を増やす目的があります。

■**売上とチラシ広告・POP広告の関係**

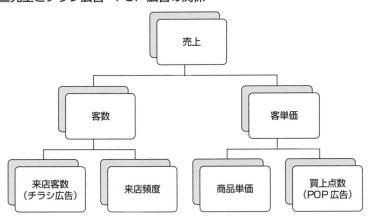

（3）POP広告のねらい

　POP広告には、下の図のような3つのねらいがあります。

■**POP広告のねらい**

Let's Try 一問一答

○×問題に答え、正解したらチェックマーク ☑ を入れましょう

□	①	販売促進策は、プル戦略である。
□	②	広告は購買促進策の1つである。
□	③	有料で新聞や雑誌の記事に取り上げられることを、パブリシティという。
□	④	フロアマネジメントやシェルフマネジメントは、購買促進策である。
□	⑤	オープン懸賞プレミアムとは、購入者全員に付与されるおまけのことである。
□	⑥	割引券のことをクーポンという。
□	⑦	店外広告には、POP広告などが含まれる。
□	⑧	売上高は、客数×客単価で考えられる。
□	⑨	客数は、来店客数×買上点数に細分化できる。
□	⑩	客単価は、来店頻度×商品単価に細分化できる。
□	⑪	POP広告は、買上点数を増やす目的がある。

【解答・解説】
①× 来店促進策がプル戦略である。販売促進策はプッシュ戦略が多くなる。／②× 広告は来店促進策の1つである。／③× パブリシティは原則的に無料で採用されるもの。／④○ ／⑤× オープン懸賞プレミアムは商品の購入を条件としないプレミアムである。／⑥○ ／⑦× 店外広告は交通広告やメディア広告など。POP広告は店内広告。／⑧○ ／⑨× 客数は、来店客数×来店頻度に細分化できる。／⑩× 客単価は、商品単価×買上点数に細分化できる。／⑪○

LESSON 6

インバウンド（訪日外国人）に対するプロモーション

Check!

/ / /

学習のPOINT

インバウンドに対するプロモーションでは、訪日外国人を居住国や来日目的でセグメンテーションし、ターゲティングやポジショニングを決めて、マーケティング・ミックスを構築する。

1 インバウンド旅行の増加

日本から見た場合に、訪日外国人の旅行をインバウンド旅行といいます。日本から海外への旅行者（アウトバウンド）だけでなく、インバウンドも増えています。観光は交通・運輸業や宿泊業だけでなく、小売業や飲食業などあらゆる業種に好影響を与えるため、日本の成長戦略や地方創生の切り札になっています。

2017年のインバウンド旅行の消費額で最も多いのが買物代であり、インバウンド旅行は買物目的の旅行（ショッピングツーリズム）で、買物の対象として、食品、カメラや時計などの精密機械、化粧品などが人気です。

■2017年の訪日外国人旅行消費額の費目別構成比

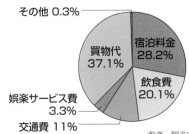

その他 0.3%
買物代 37.1%
宿泊料金 28.2%
飲食費 20.1%
娯楽サービス費 3.3%
交通費 11%

参考　観光庁「訪日外国人消費動向調査」

2 インバウンドのマーケティングのアプローチ

（1）アプローチ手順

インバウンドのマーケティングも、従来のマーケティングと同じように、インバウンド市場を細分化（セグメンテー

ション）してから、細分化した市場のどこを主要顧客層にするか（ターゲティング）を決め、次に主要顧客層に対してどのような価値で差別化するか（ポジショニング）を決める手順でアプローチします。

■マーケティングのアプローチ手順例

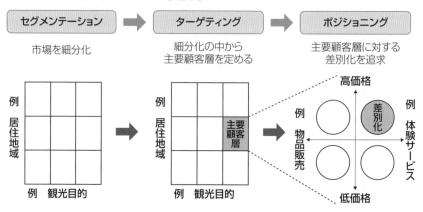

　主要顧客層が外国人旅行者の場合、言語や休日、生活習慣などの違いを意識して、マーケティングを考えます。たとえば、次のように他国の文化や習慣を尊重する姿勢が重要です。

●主要顧客層の使用言語に合わせたホームページや観光案内の制作
●主要顧客層の国の休日に合わせた来店客数の予測や販売体制の計画
●主要顧客層が宗教上の理由で食べられないものを使わない食事の提供
●主要顧客層が決まった時刻に祈祷ができる施設の提供

（2）インバウンド市場のセグメンテーション

　インバウンド市場をセグメンテーション（細分化）する場合、セグメンテーションの切り口（細分化のタテ軸・ヨコ軸の要素）として「外国に住んでいる」「旅行者である」の2つを使うことがあります。

　たとえば、「外国に住んでいる」ことから、住んでいる

国の気候や主な言語、祝祭日、生活習慣などを推測して細分化の切り口にできます。「旅行者である」ことから、旅行経験や観光目的などを推測して細分化の切り口にできます。

■セグメンテーションの切り口例

切り口	外国に住んでいる	旅行者である
要素例	＜国の特性＞ 気候・宗教・平均年齢・平均所得 ＜コミュニケーション＞ 主たる言語 ＜休日＞ 祝祭日・長期休暇 ＜その他＞ ビザ・文化的背景・為替の動向	＜旅行経験＞ 初来日・リピーター・諸外国経験 ＜旅行形態＞ 団体旅行・個人旅行・知人への訪問 ＜観光目的＞ 飲食・ショッピング・街歩き・温泉 ＜日程＞ 日数・宿泊の形態・自由時間

（3）インバウンド市場のターゲティング

　インバウンド市場のセグメンテーションが終わったら、細分化したセグメントのどこを主要顧客層とするかを決めます。たとえば「旅行者である」の軸で「ショッピング目的」を主要顧客層に決めて買物クーポンを作成する場合、「外国に住んでいる」の軸で何を選ぶかで対応が変わります。

■ターゲティングのイメージ

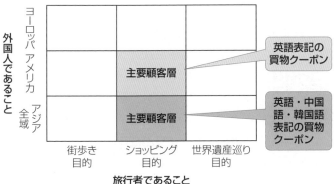

●アメリカのインバウンドを選ぶ→英語表記のみの買物クーポン

●アジア各国のインバウンドを選ぶ→英語・中国語・韓国語表記の買物クーポン

ターゲティングをすることで、**主要顧客層**ごとに、どうするのが適切な対応かを考えたり確認したりしやすくなります。

（4）インバウンド市場のポジショニング

インバウンドを増やすためには、他国でなく日本に旅行することを選ぶような、他国との**差別化**が必要です。観光庁では「日本を旅行することでしか得られない３つの価値」（訪日観光の３つの価値）として差別化の方向性を打ち出しています。３つの価値を意識してインバウンド向けの商品やサービスを検討することで、他国との差別化を図ることができます。

■日本を旅行することでしか得られない３つの価値

●日本人の神秘的で不思議な気質に触れることができる
●日本人が細部までこだわりぬいた作品に出会える
●日本人の普段の生活にあるちょっとしたことを体験できる

3 訪日ゲストのマーケティング・ミックス

ターゲティングやポジショニングに従って、**商品・価格・プロモーション・店舗立地**の４つを組み合わせるマーケティング・ミックスを決めます。

（1）インバウンドに対する商品政策

インバウンドに人気のある商品は、細部までこだわりぬいた匠の技が詰まった伝統工芸品などの高額商品から、低単価でも手を抜かず高機能を追求する気質が詰まった日用雑貨や消耗品などの高機能低単価の商品までさまざまです。人気商品の傾向は国ごとに違うことから、**ターゲティング**やポジショニングに合わせて、**日常的**に検証します。

インバウンドには、日本国内のみで販売されている**限定性**のある商品も人気です。訪日時の購入をきっかけに、帰国後も電子商取引や在日外国人を介して継続的に購入する

ようになれば、海外での知名度向上や輸出の増加につながることもあります。

（2）インバウンドに対する価格政策

日本国内で消費するのでなく、海外に持ち出すことを前提とするインバウンドの買物については、**消費税**が**免税**されます。免税には、外国人旅行者向け消費税免税店で買物するなど一定の条件があります。外国人旅行者向け消費税免税店では、**本体価格と消費税額を明記**する店内の価格表示対応が求められます。免税店は、（Japan. Tax-free Shop）と書かれた**免税店シンボルマーク**を表示できます。

（3）インバウンドに対するプロモーション

インターネットでの情報収集やSNSを介した友人や知人からの情報を重視するインバウンドが多く、現在訪日しているインバウンド自身の情報発信や口コミが次に訪日するインバウンドへのプロモーションにつながることが多くあります。また、インバウンドは、旅行代理店や観光案内所が提供するパンフレットや情報を活用する傾向があります。

多言語表示のSNSやホームページ、旅行代理店などが出展して日本への旅行をPRする海外開催の旅行博覧会など、インバウンドが利用する媒体に効果的にプロモーション活動をする必要があります。

（4）インバウンドの受入環境の整備

インバウンドへのマーケティングでは、インバウンドが買物で感じるストレスにあらかじめ対応しておきます。

①キャッシュレス決済

インバウンド対応では、キャッシュレスでの決済を可能にしておく対応が求められる。中国や韓国、香港、アメリカなどキャッシュレス化が進んでいる国からのインバウンドを主要顧客層にしている場合、特に対応が必要である。キャッシュレス決済には、クレジットカードのほかに交通系ICカードやデビットカード、モバイル決済（スマホ決済、QRコード決済）などがある

免税店シンボルマーク

■キャッシュレス決済が普及している主な地域

主な地域	普及しているキャッシュレス決済方法
中国	QRコード決済
韓国・アメリカ	クレジットカード、デビットカード

※QRコードは（株）デンソーウェーブの登録商標です。

②通信環境整備

　インバウンドの多くが旅行中にスマートフォンを利用するため、無料Wi-Fiを利用できる通信環境のニーズが高い

■スマートフォンの主な利用方法

宿泊先	翌日の目的地の情報収集
日中	交通機関、SNSでの旅行中の様子をシェア

③多言語対応

　小売業の場合、接客コミュニケーション・店頭表示・商品説明の3つについて多言語対応が必要であり、「小売業の多言語対応ガイドライン」が公表されている

Let's Try 一問一答

○×問題に答え、正解したらチェックマーク ☑ を入れましょう
□ ① 観光は交通・運輸業や宿泊業だけでなく、小売業や飲食業などあらゆる業種に好影響を与える。
□ ② インバウンドのマーケティングは、ポジショニング→セグメンテーション→ターゲティングの手順でアプローチする。
□ ③ 外国人旅行者向け消費税免税店では、税込価格と消費税額を明記すれば、本体価格を明記する店内の価格表示は不要である。
□ ④ 小売業の多言語対応には、接客コミュニケーション・店頭表示・商品説明の3つがある。

【解答・解説】
①○　／②×　セグメンテーション→ターゲティング→ポジショニングの手順である。／③
×　本体価格と消費税額を明記する店内の価格表示対応が求められる。／④○

売場づくりの基本

売場は、顧客に情報を伝える媒体であり、日々の改善や改革が重要である。売場は販売方式によって3つの形態に大別できる。

1 売場の改善・改革と形態

（1）売場の改善・改革

改善は、現在の売場の問題を解決します。改革は、現在の売場を否定し、新しい売場にします。

小売業が顧客に情報を伝えるための最も大きな媒体が売場です。

■改善と改革

改善	改革
現状維持	現状否定
日常業務の効率化	中期的視点の効果
売上高の向上	利益の向上
現在の問題を解決して、現実と理想のギャップを埋める戦術	現在までの経営方法を断ち切り、構造（組織）や機能（経営）を変革する戦略

（2）売場の形態

①対面販売方式

販売員と顧客がレジや接客カウンターを挟んで向かい合い接客する方式

②セルフサービス販売方式

顧客が自分の意思で自由に商品を選択する方式

③セルフセレクション販売方式

セルフサービス販売方式の売場に、セルフセレクション販売方式の特徴である側面販売を組み合わせた方式

側面販売方式
売場で待機している販売員が、顧客に呼ばれたときに横に付き添い、顧客からの質問に答える販売方式。

■売場の形態の特徴

	対面販売	セルフサービス販売	セルフセレクション販売
精算方法	対面する販売員に支払う	出口近くのレジで一括集中精算	いくつかの売場に分かれているレジで精算
主な商品	専門品や高級品など、購買頻度が低い商品	消耗頻度、使用頻度、購買頻度が高い商品	カジュアル衣料品や住居関連商品
主な売場	百貨店や専門店の専門品や高級品売場	スーパーマーケットなどの生活必需品売場	総合品ぞろえスーパーの衣料品や雑貨売場
顧客のメリット	専門的な個別アドバイスが受けられる	販売員に気兼ねなく、短時間で買える	自由に選べて、自由に相談できる

2 売場づくりの手順

（1）売場改装の留意点

　小売店では店舗を活性化するために**部分的改装（リニューアル）**や**全面改装（リモデリング）**が有効です。

　その際、**ワンストップショッピング**や**ショートタイムショッピング**、**ストレスフリーショッピング**などを意識する必要があります。

（2）新しい店舗・売場づくりの手順

　新しい店舗・売場づくりの手順は以下の通りです。

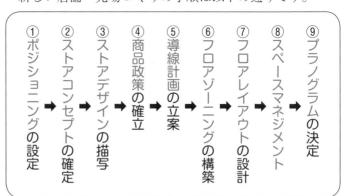

①ポジショニングの設定 ➡ ②ストアコンセプトの確定 ➡ ③ストアデザインの描写 ➡ ④商品政策の確立 ➡ ⑤導線計画の立案 ➡ ⑥フロアゾーニングの構築 ➡ ⑦フロアレイアウトの設計 ➡ ⑧スペースマネジメント ➡ ⑨プラノグラムの決定

キーワード

ワンストップショッピング
1つの店舗でまとめ買いができること。

ショートタイムショッピング
短時間で快適に購入できること。

ストレスフリーショッピング
ストレスを感じずに買物ができること。

①ポジショニングの設定

　自店の生存領域（ドメイン）を設定する

②ストアコンセプトの確定

　自店の顧客のどのような悩みに、何をもってどのように

　応えるかを端的に示す

③ストアデザインの描写

　ストアコンセプトに基づいた店舗内のスケッチを描く

④商品政策の確立

　顧客の求める商品カテゴリーをもとに、商品分類と商品

　構成を決定する

⑤導線計画の立案

　顧客導線（顧客に店内の隅々まで快適に歩いてもらうた

　めの流れ）と従業員導線（従業員が品出しなどの各作業

　を効率的に実施するための流れ）を意識して、店内の導

　線を決める。代表的な手法にワンウェイ・コントロール

　やパワーカテゴリーの配置がある

⑥フロアゾーニングの構築

　店内のどの位置に、どの部門を配置するかを決める

⑦フロアレイアウトの設計

　各ゾーン内に品種を割り振る

⑧スペースマネジメント

　ゴンドラ単位での日々の商品管理をする。品種ごとにゴ

　ンドラを割り振り、ゴンドラに並べる品目を決定し、フェ

　イシングする在庫数量を決定する

⑨プラノグラムの決定

　ゴンドラ内の棚1段ごとのSKUの数量と場所を決め、

　ゴンドラ単位の収益を予測する

4章 マーケティング

キーワード

ワンウェイ・コントロール
順番通りに売場を回遊し、漏れなく商品を購入してもらうための一方通行型導線。

パワーカテゴリーの配置
顧客を引き付ける魅力がある商品を店内に配置し、隅々まで歩いてもらうこと。パワーカテゴリーは、マグネット（磁石）商品とも呼ばれる。

フェイシング
ゴンドラの最前列に並べる単品の配分スペース（個数）を決めること。

プラスワン
プラノグラムは、プランとダイヤグラムの造語。

キーワード

SKU
品目をさらに分類したもので、商品をそれ以上分類できない最小単位。Stock Keeping Unitの頭文字を表したもの。

151

■フェイシングの例

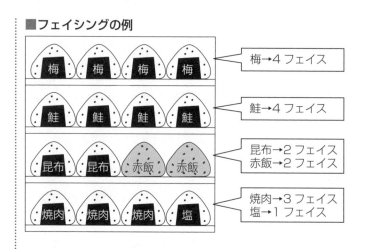

梅→4フェイス

鮭→4フェイス

昆布→2フェイス
赤飯→2フェイス

焼肉→3フェイス
塩→1フェイス

要点マスター

商品構成による分類

分　類	検討する主な工程	具体例
SKU	プラノグラムの決定	○○メーカーの△△の□□サイズ
品　目	スペースマネジメント	癖毛用、ウェーブ用など
品　種	フロアレイアウトの設計	シャンプー、コンディショナーなど
品　群	フロアゾーニングの構築	ヘアケア、オーラルケアなど
部　門	商品政策の確立	ヘルシー、ビューティーなど

Let's Try 一問一答

○×問題に答え、正解したらチェックマーク ☑ を入れましょう

☐	①	販売員と顧客がレジを挟んで向かい合い接客するスタイルを、対面販売方式という。
☐	②	日常業務の効率化は、改善の特徴である。
☐	③	構造（組織）や機能（経営）を変革する戦略は改革の特徴である。
☐	④	セルフセレクション販売方式では、出口近くのレジで一括集中精算する。

【解答・解説】
①○ ／②○ ／③○ ／④× セルフサービス販売方式の説明である。

LESSON 8
Check!

照明・光源・色彩の考え方

 学習のPOINT

照明は来店・購買の促進を図るツールで、全般照明、重点照明、装飾照明の3つに大別される。光源には、蛍光灯、高輝度放電灯、LED照明などがある。また、色の3要素とは色相、明度、彩度である。

1 照 明

（1）照明の分類

①全般照明

　店舗や売場全体を照らす照明。ベース照明ともいわれる

②重点照明

　特定のディスプレイや商品を目立たせる照明

③装飾照明
そうしょく
　装飾効果を重視した照明

④省エネ照明

　間引きや調光によりライトダウンを行う照明

（2）照度の目安

　店内全般の平均照度は500〜750ルクス、重点ポイントの照度は1,500〜3,000ルクス、商品フェイスの照度は900〜1,200ルクスを目安とします。

（3）照明の形式による分類

　照明の手法、形状によって以下のように分類できます。

■照明の形式による違い

直接照明	半直接照明	間接照明	半間接照明	全般拡散照明
床面や商品の陳列面を直接照らす形式	直接照明に透過性のあるカバーをつけた形式	反射する光によって明るさを出す形式	室内に向けた配光よりも反射光が多い形式	光を均一に行きわたらせる形式

 プラスワン

重点照明はアクセント照明や局部照明、装飾照明はインテリアライティングとも呼ばれる。

プラスワン

重点照明では、スポットライトやダウンライトが活用される。

キーワード

照度
照明で照らされる面の明るさの程度を示す指標。単位は「**ルクス**」(lx)。

② 光　源

（1）光源の種類

　照明器具の光源（ランプ）の多様化が進み、用途に応じた使い分けが重要となっています。

①蛍光灯

　水銀蒸気中に放電すると生じる紫外線が、蛍光物質に当たって発生した光を使用した光源

②高輝度放電灯（HIDランプ）

　水銀灯やメタルハライドランプ、高圧ナトリウムランプを総称したもの

③LED照明

　「省電力」「長寿命」「熱線や紫外線が少ない」という特徴の光源

（2）色の見え方

　光源は、色の見え方に影響を及ぼす性質（演色性）を持っています。**平均演色評価数**とは、本来の色をいかによく表現しているかを示す指標のことです。**色温度**とは、光の色相差を示す指標で、単位は「**ケルビン**」（K）で示します。

③ 色　彩

　色彩は、店舗空間の演出だけでなく、快適で安全な環境づくりにも影響します。色の持つ特性を理解して、売場づくりに活かせるようにしましょう。

（1）色の3要素

　色の3要素とは、**色相**、**明度**、**彩度**の3つです。

　色相は、色を構成する光の、波長別のエネルギー分布の差に基づいた色合いの違いのこと、**明度**は色の持っている明るさや暗さのこと、**彩度**は色の鮮やかさを示す指標のことです。

（2）無彩色の特性

　白、灰、黒の3つは彩度がなく、**無彩色**といいます。黒

ステップアップ

LED照明は冷凍食品や酒類、惣菜の照明に適している。

は光や熱を吸収し、白は光を反射する特性があります。

（3）有彩色の特性

　無彩色以外の色合いのある色はすべて**有彩色**といいます。有彩色には、次のような特性があります。

①暖　色

　太陽光や火を連想させる赤系の色を**暖色**という。飛び出して（膨張して）見えるため**進出色**ともいわれる

②寒　色

　空や水を連想させる青系の色を**寒色**という。引っ込んで（収縮して）見えるため、**後退色**ともいわれる

③中性色

　暖かくも寒くも感じない緑系の色を**中性色**という

（4）補色と準補色

　色相環で向かい合った対極にある色同士を「**補色**」、補色の1つ手前の関係の色同士を「**準補色**」といいます。

（5）色彩計画のポイント

　色彩計画を行う場合、次のような点に注意します。

①**素材、光沢、透明感**

　色の3要素に加えて、素材や光沢、**透明感**が実際の色に影響する

②**照明、什器、商品**

　色は、**照明**や**什器**、商品によって変化する

③**使用する面積**

　色は、使用する**面積**によって干渉し合い、変化する

④**退色、変色、汚れ**

　商品によっては、退色や変色、汚れが生じるため配慮が必要になる

⑤**使用する色の数**

　望ましい店舗イメージの形成のためには、基調色を**1色**、残りを**3色以内**に絞った方がよいとされている

ステップアップ

補色の組み合わせは印象が強くなる。準補色の組み合わせは、華やかさを演出できる。

4章　マーケティング

よくある質問

Q 色彩を売場づくりに活かすことで、どのような効果が期待できますか。

A ①店舗イメージを望ましい方向に向ける、②従業員のストレス解消や集中力の向上、③店舗の個性の形成、④店舗内での事故防止などの効果が期待できます。

要点マスター

光源に関するキーワード

照　度…光の明度。単位はルクス（lx）
色温度…光の色相差。単位はケルビン（K）

色の3要素

色　相…色合いの違い
明　度…色の持っている明るさや暗さ
彩　度…色の鮮やかさ

Let's Try 一問一答

○×問題に答え、正解したらチェックマーク☑を入れましょう

☐	①	店舗や売場全体を照らす照明を全体照明という。
☐	②	装飾照明は、インテリアライティングとも呼ばれる。
☐	③	局部照明にはスポットライトが有効である。
☐	④	店内全般の平均照度は、重点ポイントの照度よりも高い。
☐	⑤	商品の陳列面を直接照らす照明の形式を、直接照明という。
☐	⑥	色温度は、光の明度を表している。
☐	⑦	色の3要素は、色相、明度、彩度である。
☐	⑧	青、青紫は暖色である。

【解答・解説】
①× 全般照明である。／②○ ／③○ ／④× 重点ポイントの照度よりも低い。／⑤○
／⑥× 色温度は、光の色相差を表している。／⑦○ ／⑧× 青、青紫は、寒色である。

156

第 5 章

販売・経営管理

Lesson 1 販売員の基本業務

Lesson 2 販売員の法令知識①

Lesson 3 販売員の法令知識②

Lesson 4 販売員の法令知識③

Lesson 5 計数管理の基本

Lesson 6 販売に求められる決算データ

Lesson 7 売買損益の計算方法

Lesson 8 金銭管理と万引き対策の基本

Lesson 9 衛生管理の基本

販売員の基本業務

学習のPOINT

頻出度
★ ★ ★

販売員の目的には、顧客が安全で豊かな消費生活を送る手助けをすることと、顧客の多頻度来店を促し、自店の発展に寄与することがあり、接客の心構えのポイントなど、正確な理解が求められる。

① 接客マナー

（1）接客の心構え

　明るく、笑顔で挨拶することが顧客に好印象を与えます。挨拶やお詫びのときのお辞儀は、頭を下げる深さによって「15度（会釈）」「30度（普通礼）」「45度（最敬礼）」を使い分けます。

■お辞儀の種類と使用例

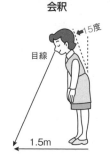

会釈

普通礼

最敬礼

お辞儀の種類	お辞儀の角度	使用例
会　釈	15度	「かしこまりました」
普通礼	30度	「いらっしゃいませ」
最敬礼	45度	「申し訳ございません」 「ありがとうございます」

　お辞儀は、頭を深く下げるほど丁寧な意味になります。
　また、顧客層にかかわらず、敬語の基本はしっかりと身につけておく必要があります。敬語は、「尊敬語」（会話の相手を高めて直接敬意を表す）、「謙譲語」（自分の行為を

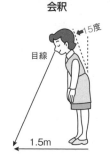 内ラベル: 目線、15度、1.5m

 内ラベル: 30度、1m

 内ラベル: 45度、50cm

プラスワン

接客とは販売員が心を込めて顧客を接待すること。心構えとして、①笑顔、②挨拶、③顧客心理に応じた対応、④正しい敬語、⑤感じのよい話し方、聞き方、⑥服装、身だしなみ、⑦クレームや返品への対応の7つが挙げられる。

へり下って敬意を表す)、「丁寧語」(丁寧に表現する) の
３分類から、５分類に改められています。謙譲語を、会話
内の第三者に敬意を表す「謙譲語Ⅰ」と会話の相手に敬意
を表す「謙譲語Ⅱ (丁重語)」に分類し、「丁寧語」を「丁
寧語」(「です・ます」を使って、丁寧に述べる) と「美化
語」(「お」を使って、ものごとを美化する) に分類します。

■謙譲語Ⅰと謙譲語Ⅱ(丁重語)の違い

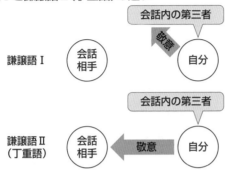

■敬語の例

尊敬語	いらっしゃる(←行く・来る・いる) おっしゃる (←言う) なさる (←する) 召し上がる (←食べる・飲む)	くださる (←くれる) ご覧になる (←見る) お召しになる (←着る) お使いになる (←使う)
謙譲語	**謙譲語Ⅰ**	**謙譲語Ⅱ (丁重語)**
	伺う (←訪ねる・尋ねる・聞く) 申し上げる (←言う) 頂く (←もらう) お目にかかる (←会う) 拝見する (←見る) ご案内する (←案内する) お届けする (←届ける) お読みいただく (←読む) お越しいただく (←来る)	参る (←行く・来る) 申す (←言う) いたす (←する) おる (←いる) 存じる (←知る・思う) 利用いたす(←利用する)
丁寧語	**丁寧語**	**美化語**
	たこうございます (←高い) おいしゅうございます(←おいしい) かるうございます (←軽い) 重うございます (←重い)	お料理 (←料理) ご挨拶 (←挨拶) ごはん (←めし) おつゆ (←汁) おひや (←水)

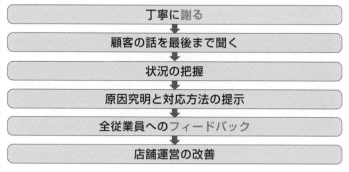
（2）感じのよい話し方、聞き方と身だしなみ

　顧客に対しては、敬語を使うだけでなく、その求めるものに沿った対応を心がける必要があります。話し方としては、マイナス要素を先に、後からプラス要素を伝える「マイナス・プラス法」がよいとされています。

　また、顧客の話すことを肯定で受け、その後で意図を伝える「イエス・バット法」の聞き方は、顧客に安心感を与えます。

　販売員の服装や身だしなみでは、清潔感・店舗の雰囲気との調和に気をつけて、顧客によい印象を与えるよう配慮します。

２ クレーム対応

（1）クレーム対応の手順

　迅速（じんそく）で適切なクレーム対応は、顧客との信頼関係向上にもつながります。また、クレームに関する情報は従業員全員で共有し、改善につなげることが重要です。

■クレーム対応の手順

```
丁寧に謝る
　　↓
顧客の話を最後まで聞く
　　↓
状況の把握
　　↓
原因究明と対応方法の提示
　　↓
全従業員へのフィードバック
　　↓
店舗運営の改善
```

　顧客を待たせる場合、できるだけ具体的に、待たせる時間の目安を伝えるほうがよいです。具体的に伝えられなかった場合には、次の表を目安にします。

■時間の目安

言葉づかい	時間の目安
「ただちに」「すぐに」	5分以内
「のちほど」	30分以内
「後日」	48時間以内

(2) 返品とその対応

　返品要求には、顧客側の錯誤(さくご)(勘違い、認識不足)と、販売店側の錯誤・ミスの場合があります。たとえ顧客側の錯誤でも、店にとっての最善の方法を選択し対応します。判断がつかない場合は、上司に判断を仰(あお)ぎます。

■返品対応の手順

> 丁寧に謝る

> 顧客の話を最後まで聞き、
> 事実の確認をする

> 自店基準や法令基準を確認する

> 指摘していただいたお礼をいう

> 対応方法を提示する

> 再発防止策の検討・実施

よくある質問?

Q 店にとっての返品対応の最善の方法とはどういうものでしょうか?

A 返品対応では、次のような意識で最善の方法を選択し対応します。

●素直に、謙虚に誠実に対応する
●事実関係を正確に把握する
●自店の基準や法令に適合しているかを確認する
●顧客にとっても、自店にとっても納得できる対応をする

Let's Try 一問一答

○×問題に答え、正解したらチェックマーク ☑ を入れましょう

☐	①	45度のお辞儀は最敬礼で、「ありがとうございます」というときなどに使われる。
☐	②	「お届けする」は「届ける」の美化語である。
☐	③	「見る」の尊敬語は「拝見する」である。
☐	④	「料理」の美化語は「お料理」である。
☐	⑤	返品対応は、自店の基準と法令の基準の両方を確認する。
☐	⑥	顧客を待たせる場合、「ただちに対応いたします」といったときは、「48時間以内」を目安に対応すればよい。
☐	⑦	クレームの対応の手順は、丁寧に謝り、謙虚に話を聞き事実確認し、対応方法を提示し、全従業員で共有し、改善することである。
☐	⑧	顧客側の錯誤（勘違い、認識不足）は顧客側のミスなので、返品に応じる必要はない。

【解答・解説】
①○　／②×　「お届けする」は「届ける」の謙譲語Ⅰである。／③×　「ご覧になる」である。
／④○　／⑤○　／⑥×　5分以内を目安に対応する。／⑦○　／⑧×　店にとって最善の
方法を選択し対応する。

販売員の法令知識①

頻出度
★★★

Check!

小売業に関する法令は、経営や営業において適正な事業運営を促進するためのものや、営業活動や販売活動に関するものなど多岐にわたり、販売員にもそれらの基本的な知識が必要とされている。

1 小売業の適正確保に関する法規

（1）大規模小売店舗立地法（大店立地法）

この法律は、大規模小売店舗の立地に関し、その周辺の地域の生活環境の保持のため、大規模小売店舗を設置する者により、その施設の配置および運営方法について適正な配慮がなされることを確保することを目的としています。大規模小売店舗とは、**店舗面積1,000m²超の大型店**を指します。

（2）小売商業調整特別措置法（商調法）

小売業者と他の事業者との間で問題が起こらないよう調整し、正常な流通秩序を維持するための規制措置が定められています。

（3）中小小売商業振興法

商店街の整備や店舗の共同化、ボランタリーチェーンなどの**連鎖化事業**（いわゆるチェーン事業）などに取り組む際に金融上や税制上の助成など、広範な育成施策により、中小小売商業の振興を図ることを目的としています。フランチャイズチェーンに加盟する中小小売業保護のため、重要な契約事項の書面交付による説明義務を**本部事業者**に課すこともしています。

（4）商店街振興組合法

商店街の振興を図るため、この法律に基づき国の助成が行われています。

ステップアップ

かつて存在した「大規模小売店舗法（大店法）」は、大規模店舗の出店や営業活動を規制する方向で運用されてきた。現在の「大規模小売店舗立地法（大店立地法）」とは趣旨が違っており、現在は廃止されている。

プラスワン

大規模小売店舗立地法では、店舗名称および所在地や、開店日、店舗面積、営業時間のほか、駐車場の位置と収容台数、駐車場の利用時間、廃棄物などの保管施設の位置および容量などが届出事項として定められている。

（5）中心市街地の活性化に関する法律（中心市街地活性化法）

中心市街地を活性化させるための整備改善、活性化の一体的推進を図るための法律です。

② 事業の許認可に関する法規

営業活動を開始するに当たり、保健、衛生、公安、財政などの理由から、許認可が必要な業種があります。

■事業の許認可例

業種	許可等	根拠法規	許認可先	必要なもの
薬局・医薬品の販売	許可	医薬品医療機器等法	都道府県知事（または政令市の市長、特別区の区長）	―
酒類販売業	免許	酒税法	所轄税務署長	―
米穀類販売業	届出	食糧法	農林水産大臣	―
古物営業	許可	古物営業法	都道府県公安委員会	主たる営業所は許可。他は届出
ペットショップ（第1種動物取扱業者）	登録	動物愛護管理法	都道府県知事（または政令市の市長）	営業所ごとに登録。非営利の第2種は届出
たばこ販売業	許可	たばこ事業法	財務大臣	―
飲食店・食品販売店	許可届出	食品衛生法	都道府県知事	食中毒のリスクが低い業種は届出

「許可」の場合は、許認可先の判断によっては許可がおりない可能性があります。「届出」は所定の条件を満たして届け出れば許可を得る必要はありません。

③ 販売活動に関する法規

（1）売買契約などに関する民法の規定

販売活動とは、商品と代金の交換で所有権が移転することをいい、売り手の「売りたい」という**意思表示**と買い手の「買いたい」という**意思表示**が合致したときに売買契約が成立します。売買契約は売り手にも買い手にも義務がある**双務契約**になります。

■売買契約の義務

売り手の義務	商品を買い手に引き渡す義務
買い手の義務	代金を売り手に支払う義務

売買契約には、いくつかの形態があります。

①予　約

売買契約の締結を前提とした契約。**予約期間**や**期限**を定めておき、その期間内に顧客の履行がないと予約の効力は消滅する

②手付と内金

売買契約時に代金の全額を支払わず、一部を手付金または内金の名目で支払う場合がある

③委任契約

当事者の一方（委任者）が、相手方（受託者）に委託し、相手方が受諾することで成立する契約

（2）消費者信用取引

商品の代金をカードなどで後から支払うことです。販売信用と金融信用があります。

（3）割賦販売

「購入者から代金を２ヶ月以上の期間にわたり、かつ３回以上に分割して受領する条件で、指定商品等を販売する（毎回の支払額を一定額または残額の一定割合などにする**リボルビング**を含む）」もので、「**割賦販売法**」が適用されます。割賦販売法には、「**取引条件の提示義務**」、「**契約書面の交付義務**」、「**契約の解除**」などが明示され、罰則も規定されています。

割賦販売には、個別方式と包括方式があります。

■個別方式と包括方式の割賦販売

個別方式	消費者と小売店との間で「割賦販売契約」が結ばれる割賦販売
包括方式	小売店が発行するクレジットカードを用いる割賦販売

割賦販売法には、割賦販売に加えて「信用購入あっせん」「ローン提携販売」も規定されています。

①信用購入あっせん

消費者が小売店で買物した場合、**クレジット会社**が消費者に代わって小売店に代金を支払う。消費者は、クレジッ

プラスワン

手付は、売主が契約を履行するまでは、買主がその手付を放棄することで自由に契約解除することが可能。売主は、その倍額を払えば契約を解除できる。内金は、商品代金の一部前払いであり、契約解除は認められない。

ステップアップ

販売信用とはカードによる商品購買で、支払方法は割賦方式と非割賦方式がある。金融信用は、直接的な金銭貸与で、有担保と無担保、さらに割賦方式と非割賦方式に分かれる。

ト会社に２ヶ月を超えて（リボルビングを含む）代金を支払う。小売店は、消費者からの分割払いの代金回収を管理せずに、**クレジット会社**から一括で代金回収できる

②ローン提携販売

　消費者が小売店で買物した場合、消費者は**小売店**が提携している金融機関から借り入れする。消費者は金融機関から借り入れした資金で代金を一括して**小売店**に支払う。その後消費者は、分割（２ヶ月以上、かつ３回払い以上。リボルビングを含む）で借り入れた代金を金融機関に返済する

　割賦販売法は、個別方式のクレジットについて、**クーリング・オフ**を定めています。ただし、乗用車や葬儀、化粧品、健康食品、生鮮食料品などは**クーリング・オフ**の適用除外とされています。

要点マスター

クーリング・オフ制度

　クーリング・オフ制度は、冷静な判断ができないまま契約してしまった場合に、後から契約解除ができるようにした制度です。契約（申込）書面を受け取った日を含めて一定期間内であれば、何も説明することなく、一方的な契約解除が可能です。支払った代金は全額返還され、違約金も請求されません。また、商品が届いている場合は、送料も販売会社負担で引き取ってもらえます。クーリング・オフが可能な期間は、割賦販売では８日以内、その他契約によって日数が異なります。

Let's Try 一問一答

○×問題に答え、正解したらチェックマーク ☑ を入れましょう

☐	①	大規模小売店舗立地法では、店舗面積と営業時間は届出事項となっていない。
☐	②	古物の販売は、「古物営業法」に基づき、所在地の都道府県知事の許可を得なければならない。
☐	③	手付を支払った買主が、その契約を解除したい場合は、手付の倍額を支払うことで解除ができる。
☐	④	リボルビングも割賦販売に含まれる。
☐	⑤	割賦販売とは、購入者から代金を2ヶ月以上の期間にわたり、かつ2回以上に分割して受領する取引のことである。
☐	⑥	割賦販売法には、「割賦販売」「信用購入あっせん」「ローン提携販売」の3つが定められている。
☐	⑦	乗用車の購入に当たって、クーリング・オフは適用されない。

【解答・解説】
①× 届出事項である。／②× 所在地の公安委員会の許可が必要である。／③× 買主は支払った分の放棄で契約を解除できる。／④○ ／⑤× 2ヶ月以上の期間にわたり、かつ3回以上に分割して受領する取引のことである。／⑥○ ／⑦○

販売員の法令知識②

頻出度
★★★

商品の品質や機能を正しく表示することは、小売業にとって消費者の安全を守るための社会的責任であるといえる。法律や制度に基づいて定められた各種マークを、正確に理解しておく必要がある。

◢ 商品に関する法規

（1）商品の安全確保に関する法規

①消費生活用製品安全法

特定製品の製造・販売を規制し、下記のマークを定め安全確保のための民間の自主的活動を促進する措置を講じている

■PSCマーク

PSCマーク
特別特定製品（乳幼児用ベッド、携帯用レーザー応用装置、浴槽用温水循環器、ライター）

PSCマーク
特定製品（家庭用の圧力なべおよび圧力がま、乗車用ヘルメット、登山用ロープなど）

②食品表示法

事業者の名称や住所だけでなく、消費期限や賞味期限、栄養成分、原材料と添加物の区分表示、機能性表示食品の表示などが定められている

③医薬品医療機器等法

医薬品、医薬部外品、化粧品、医療機器の取扱いについて規制し、適正化を図るために制定されている

④製造物責任法（PL法）

製品の欠陥により消費者が生命、身体、財産上の損害を被った場合に、**製造業者に賠償責任を負わせること**を目的

ステップアップ

PSCマークは、消費生活用製品安全法に基づき、特定製品に指定されたもので、安全基準に適合したものとして表示が義務づけられている。表示されていないものは販売できない。

かつては、製造業者の故意過失、違法性、行為と損害発生の因果関係のすべてを被害者側で証明する必要があり、製造業者責任の追及は事実上、困難でした。そのための対応として、製造物責任法（PL法）が制定されました。

とした法律。この法律で、被害者は、欠陥の存在、損害、因果関係を証明すればよいことになった

（2）安全な食生活と法制度

　有機食品の生産方法等の新しい基準が設定され、認定事業者により「有機JASマーク」が付されたもの以外は、「有機」等、紛らわしい表示ができなくなりました。

　また、食の安全性への関心も高まり、「遺伝子組換え食品表示制度」が**食品表示法**に定められ、表示義務がある場合と任意表示の場合に分けられました。食品の安全性確保のために、現在は製造年月日表示に代えて、劣化（れっか）が速い食品では「消費期限」、劣化が比較的緩（ゆる）やかな食品には「賞味期限」の2種類の表示方法が用いられています。

（3）商品の計量に関する法規

　商品の計量に関しては、「**計量法**」で計量単位、適正な計量の実施、適正な計量管理の内容などが規定されています。

■計量マーク

検定証印

（4）商品の規格および品質表示に関する法規

　商品の品質のバラツキをなくし、一定水準の高品質商品の流通を促すために、いくつかのマークが定められています。

■標準品・規格品を示すマーク

JISマーク

JASマーク

特定JASマーク

特定保健用食品マーク

PSEマーク
（特定電気用品）

PSEマーク
（特定電気用品以外
の電気用品）

BLマーク

（5）家庭用品の品質表示

　消費者が、商品を購入する際に**品質**の識別（しきべつ）が重要にもかかわらず識別することが難しいものが、「品質表示の必要な家庭用品」として指定されています。表示は、**品質**に関

計量法では、計量器は検定証印の付いた有効期限内のものを使用することが、非自動ばかりなどには定期点検を行うことなどが義務づけられています。

して表示すべき事項（表示事項）と、それを表示する上で表示を行う者が守らなければいけない事項（遵守事項）が、品目ごとに定められています。

2 販売促進に関する法規

　販売促進策により、企業間の公正な競争が阻害されたりしないよう、独占禁止法の特例として「不当景品類及び不当表示防止法（景品表示法）」が制定されています。

（1）不当景品類の規制

　景品類の提供が、顧客を誘引する手段として使われる場合に、景品表示法では取引に付随した景品類の提供を規制しています。一方、オープン懸賞など取引に付随しない景品類の提供には最高額の規制がなく、独占禁止法が適用されます。

■景品表示法の景品規制概要

	総付景品	取引に付随して景品類を提供するが、懸賞によらない場合	
景品表示法第3条	取引価額	景品類の最高額	
	1,000円未満	200円	
	1,000円以上	取引価額の10分の2	
	一般懸賞	メーカーや小売店が単独で、取引に付随した懸賞によって景品類を提供する場合	
	懸賞による取引価額	景品類限度額	
		最高額	総額
	5,000円未満	取引価額の20倍	懸賞に関わる売上予定総額の2%
	5,000円以上	10万円	
	共同懸賞	事業者が共同して、取引に付随した景品類を懸賞によって提供する場合	
	懸賞による取引価額	景品類限度額	
		最高額	総額
	取引価額にかかわらず30万円		懸賞に関わる売上予定総額の3%

（2）不当な表示の防止

　事業者が顧客誘引の手段として、販売する商品やサービスの内容や、価格、数量、取引条件などについて、事実と異なる表示、実際より優れていると誤認されるような表示

をすることは、不当表示として禁止されています。また、実際の販売価格とは別に、参考となる別の価格（比較対照価格）を同時に表示することを**二重価格表示**といいます。根拠のない不当な比較対照価格を表示することで、消費者に実際より安くなっていると誤認させることは、不当な二重価格表示として禁止されています。

 よくある質問

Q 景品表示法では、不当表示を防止するために具体的にどのようなことが規定されていますか？

A 景品表示法では、違反事業者への都道府県知事による指示・立ち入り検査、消費者庁長官による措置命令などが規定されています。

Let's Try 一問一答

○×問題に答え、正解したらチェックマーク ☑ を入れましょう

□　①　消費生活用製品安全法によって特定製品に指定されているものには、「PSEマーク」が付されている。

□　②　製造物責任法（PL法）では、製造業者の故意過失、違法性、行為と損害発生の因果関係のすべてを被害者側で証明する必要がある。

□　③　食品について、劣化が速い食品では「消費期限」が、劣化が緩やかな食品には「賞味期限」が表示される。

□　④　商品を計量する計量器は、検定証印などが付されているもので、有効期間内のものを使用しなければならない。

□　⑤　JISマークは日本農林規格のマークである。

□　⑥　取引に付随しない景品類の提供は、景品表示法により規制される。

□　⑦　「通常価格5,000円の品を、特価3,000円で提供」のように価格を併記することを二重価格表示という。

【解答・解説】
①×　PSCマークである。／②×　PL法では、被害者は、欠陥の存在、損害、因果関係を証明すればよい。／③○　／④○　／⑤×　JISマークは、日本産業規格のマークである。／⑥×　取引に付随しない景品類の提供は、独占禁止法が適用される。／⑦○

販売員の法令知識③

学習のPOINT

小売業が関係する環境対策として、容器包装・家電製品・食品のリサイクル活動や、リサイクル商品の販売を促進するための活動がある。

1 消費者基本法

消費者基本法は、事業者への規制で消費者保護を行うだけではなく、消費者の「自立の支援」を目的に加えています。

2 個人情報保護法

「個人情報の保護に関する法律（個人情報保護法）」は、個人情報の有用性に配慮しつつ、個人の権利利益を保護することを目的として、個人情報を取り扱う事業者に対して、義務と対応を定めたものです。

（1）個人情報保護法の対象

個人情報データベース等を事業の用に供しているすべての事業者が、「個人情報取扱事業者」として個人情報保護法の対象となります。

（2）個人情報とは

生存する個人の情報で、特定の個人を識別できる情報（氏名、生年月日、連絡先、写真など）を指します。

（3）個人情報取扱事業者の主な義務

①利用目的の特定・制限と不適正な利用の禁止、②適正な取得と取得に際しての利用目的の通知、③データ内容の正確性の確保、④安全管理、従業者・委託先の監督、⑤第三者への提供の制限、⑥本人への公表、開示、本人の要求による訂正、利用停止の対応、⑦苦情の処理、⑧データ漏えい時の報告、が挙げられます。

ステップアップ

消費者基本法の5つの基本理念は、①消費者の権利の尊重とその自立支援、②事業者の適正な事業活動の確保と消費者特性への配慮、③高度情報通信社会の発展への的確な対応、④国際的連携の確保、⑤環境保全への配慮である。

プラスワン

個人情報を取り扱う事業者が義務規定に違反した場合には、行政処分の対象となる。また、主務大臣の命令に違反すると罰則が科せられる。

3 環境基本法

　環境基本法は、日本の環境保全に関する基本理念とその
施策_{しさく}の枠組みを提示しています。具体的な方向を示す環境
基本計画の目標は、「循環」「共生」「参加」「国際的取組」
を実現する社会の構築としています。

4 各種リサイクル法

（1）容器包装に係る分別収集及び再商品化の促進等に関する法律（容器包装リサイクル法）

　商品の容器包装に関するリサイクルを促進する法律で
す。分別対象の包装容器のうち、アルミ缶やスチール缶、
紙パック、ダンボールは、すでに円滑なリサイクルが進ん
でいるため、再商品化（リサイクル）義務の対象になって
いません。

■容器包装リサイクル法に関するマーク

スチール缶 （飲料缶）	アルミ缶 （飲料缶）	PETボトル （飲料、特定調味料 のPETボトル）	紙製容器包装 （ダンボールやアル ミを使用していな い飲料用紙パック を除く）	プラスチック製 容器包装 （飲料、特定調味料の PETボトルを除く）

（2）特定家庭用機器再商品化法（家電リサイクル法）

　家庭電気製品（冷蔵庫・ブラウン管テレビ・エアコン・
洗濯機・冷凍庫・液晶テレビ・プラズマテレビ・衣類乾燥
機）の回収が義務づけられ、廃棄_{はいき}には所定の費用がかかり
ます。消費者、家電メーカー、販売業者、自治体のそれぞ
れが費用を負担することで、資源の有効再利用を促進する
ことを目的としています。

ステップアップ

環境基本法は、①大気
環境の保全、②水環境
の保全、③土壌環境・
地盤環境の保全、④廃
棄物・リサイクル対策、
⑤化学物質の環境リス
ク対策、⑥技術開発に
関した環境配慮および
新たな課題などを目標
としている。

5章　販売・経営管理

（3）食品循環資源の再生利用等の促進に関する法律（食品リサイクル法）

　メーカーやスーパーマーケットなどの製造業、加工業、卸売業、小売業、飲食店など、食品に関わる事業者を対象に食品廃棄物の発生抑制や再生利用（肥料・飼料）、熱回収（焼却）、減量（脱水・乾燥）を促す法律です。

5 環境関連事業の推進

（1）環境影響評価（環境アセスメント）法

　地域における大規模開発に対して、自然環境への影響を監視することを義務づける法律です。また、環境の負荷に伴う規制や経済的措置もあり、たとえば販売店でビール瓶の引取りでお金が戻ってくる預託払戻制度（デポジット・リファンド・システム）などがあります。

（2）エコマーク事業（環境ラベリング制度）

　公益財団法人日本環境協会が推進する事業で、「製造、使用、廃棄などの各段階で環境負荷が相対的に少ない商品」や、「その商品を利用することで環境負荷を低減できる商品」など、環境保全に役立つと認められた商品にエコマークが付与されます。消費者が、環境に配慮された商品を選択しやすいようにする環境ラベリング制度です。

（3）グリーンマーク事業

　公益財団法人古紙再生促進センターが推進する事業で、古紙利用製品の使用拡大を通じて古紙の回収・利用の促進を図る目的の事業です。古紙を40％以上利用した製品と承認されたものにグリーンマークが付与されます。

（4）国際エネルギースタープログラム

　省エネタイプの製品の開発や普及・促進を目的とする事業です。国際エネルギースターロゴは、「国際エネルギースタープログラム」の制度に参加・登録している製造・販売事業者が、基準を満たす製品本体などに表示できます。

■環境に関連するマーク

エコマーク　　　　グリーンマーク　　　国際エネルギースターロゴ

＊資源エネルギー庁パンフレットより

Q 環境問題に対して、流通や販売に携わる者にとって、どのような対応を取る必要がありますか？

A 環境に配慮した商品やサービスの提供を優先させる販売努力、過剰包装の撤廃や包装容器の積極的なリサイクル活動への取組み、店舗のゴミの減量化対策など、各々の立場で、環境に優しいきめ細かな活動・対処が必要です。

Let's Try 一問一答

○×問題に答え、正解したらチェックマーク ☑ を入れましょう

□	①	環境基本計画の目標は、「循環」「共生」「参加」「国際的取組」を実現する社会の構築である。
□	②	アルミ缶やスチール缶、紙パック、段ボールは容器包装リサイクル法の再商品化義務の対象である。
□	③	食品循環資源の再生利用等の促進に関する法律を食品リサイクル法という。
□	④	デポジット・リファンド・システムは、環境の負荷に伴う規制や経済的措置の1つである。
□	⑤	グリーンマーク事業は、公益財団法人日本環境協会が推進する事業である。
□	⑥	人の手で地球を包むことで、環境への優しさを表現しているのがグリーンマークである。

【解答・解説】
①○　／②×　アルミ缶やスチール缶、紙パック、段ボールは再商品化義務の対象になっていない。／③○　／④○　／⑤×　公益財団法人古紙再生促進センターが推進する事業である。／⑥×　人の手で地球を包んでいるのはエコマークである。グリーンマークは木の形で、環境の緑化推進を表現している。

LESSON 5 計数管理の基本

学習のPOINT

頻出度
★

計数管理の利益は、収益（利益）から費用を差し引いて算出する。利益は、収益や費用の種類によって、売上総利益・営業利益・経常利益・税引前当期純利益・当期純利益がある。

1 計数管理の基本

　計数管理は、数字によって店舗経営を管理していくものです。これは、日々直面する最適化への対応と、効率的経営のための仕組みを数字面でつかむという2つの意味があります。

（1）利益の構造

　店舗経営を管理する利益は、売上高や利益から経費を差し引いて求められます。売上高は「買上客数×客単価」で求められます。買上客数は「入店客数×買上率」、客単価は「買上点数×1品当たり平均単価」で求められます。

■売上高の要素

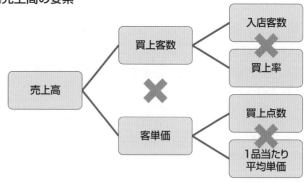

　売上高から計算する利益には次の種類があります。

■利益の種類

	計算式	利益の意味
売上総利益 （粗利益）	売上高−売上原価	全費用をまかなうおおもとの利益
営業利益	売上総利益−販売費及び一般管理費	本業でもうけた利益
経常利益	営業利益±営業外損益	当期通常活動の企業全体でもうけた利益
税引前 当期純利益	経常利益±特別損益	当期活動の企業全体でもうけた利益
当期純利益	税引前当期純利益−法人税等	最終的に手元に残る利益

　それぞれの利益は、次の構造になっています。

■利益の構造

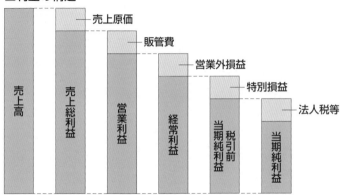

（2）値入高と粗利益高との違い

　売上総利益を、小売業では**粗利益**ということがあります。小売業が販売前に予定していた本来得られる利益である**値入高**と、販売後の実績としての利益である**粗利益高**とは異なります。

①値入高と値入率

　値入高は、売価から仕入原価を差し引いたもので、その商品を販売することで得られる予定の利益。値入率とは、その値入高の売価に対する割合をいう

> 値入高＝売価−仕入原価

> 値入率（％）＝値入高÷売価×100

②粗利益高と粗利益率

粗利益高は、売上高から売上原価を差し引いたものである。売上高に対する粗利益高の割合を粗利益率という。それぞれ次の式で求める

$$粗利益高＝売上高－売上原価$$

$$粗利益率(\%)＝粗利益高÷売上高×100$$

■値入高と粗利益高の関係

売価（販売予定額）			
仕入原価	値入高合計		値上高
実績利益→	売上総利益	ロス高	値下高
	あるべき粗利益高		

当初、予定していた本来得られるはずの粗利益高

③ロス高とロス率

ロス高は、販売する予定だったにもかかわらず、商品の損耗などで販売できなくなった分の金額である。売価から売上高を差し引いたもので、ロス率は、ロス高の売上高に対する割合である

$$ロス高＝売価－売上高$$

$$ロス率(\%)＝ロス高÷売上高×100$$

■ロスの種類

値下ロス	売価を引き下げたことによるロス
廃棄ロス	売れない商品を廃棄処分したロス
不明ロス	原因不明のロス。帳簿在庫と棚卸在庫との差

2 消費税の計算

消費税は商品やサービスを消費したときにかかる**間接税**です。消費税は商品の本体価格（税抜価格）に税率を乗じ

プラスワン

ロスは、個々の商品について調べることは不可能なため、部門別に計算するのが一般的である。

キーワード

帳簿在庫
帳簿在庫は、在庫や発注、販売のデータから求めた理論上の在庫。

棚卸在庫
棚卸在庫は、店舗や倉庫で数えた実際にある在庫。

間接税
税金を「支払う人」と「納める人」とが違う税金。消費者が支払った消費税は、小売業などの事業者が国に納める。

て求めます。

■消費税のイメージ

税抜価格（本体価格） （外税）	消費税 本体価格×税率

税込価格（内税）

　消費税の計算には、「税抜価格から消費税を求める」「税抜価格から税込価格を求める」「税込価格から消費税を求める」「税込価格から税抜価格を求める」の4パターンがあります。

■消費税の計算

例）税込価格5,500円（税抜価格5,000円、消費税500円、税率10%）

パターン	計算式	例）の場合の計算
税抜価格から消費税を求める	税抜価格×税率	5,000円×10%＝500円
税抜価格から税込価格を求める	税抜価格×（1＋税率）	5,000円×（1＋10%）＝5,500円
税込価格から消費税を求める	税込価格÷（1＋税率）×税率	5,500円÷（1＋10%）×10%＝500円
税込価格から税抜価格を求める	税込価格÷（1＋税率）	5,500円÷（1＋10%）＝5,000円

Let's Try　一問一答

○×問題に答え、正解したらチェックマーク ☑ を入れましょう

- □　①　総売上高から売上原価を差し引いたものが営業利益である。

- □　②　値入高は、売価から仕入原価を差し引いて求める。

- □　③　値入高合計＋値上高－値下高を粗利益高という。

- □　④　当初、販売する予定だった売上高から、商品の損耗などで販売できなくなった商品の金額を差し引いたものを、ロス高という。

【解答・解説】
①×　売上総利益である。／②○　／③○　／④×　ロス高は、売価から売上高を差し引いたものである。

販売に求められる決算データ

決算では、企業の一定期間の成績を損益計算書にまとめる。決算作業で行う棚卸のデータを使って、商品の効率も判断できる。

損益計算書を読み解くような問題はありませんが、実務では非常に大切なのでさらっと学習しておきましょう。

プラスワン

販売費及び一般管理費には、人件費、地代家賃、広告宣伝費、販売促進費などが含まれる。

ステップアップ

営業利益は、本業で経営基盤がどの程度安定しているかを測る指標として有効である。たとえば、チラシ広告を乱発して売上が上がっても、広告宣伝費が高ければ営業利益が減少してしまう。

1 損益計算書

（1）損益計算書とは

損益計算書とは、企業の一定期間の売上、費用、利益を表した資料です。

■損益計算書のイメージ

単位：千円

科　目			金　額
経常損益の部	営業損益の部	売上高	5,000,000
		売上原価	2,000,000
		売上総利益	3,000,000
		販売費及び一般管理費	1,000,000
		営業利益	2,000,000
	営業外損益の部	営業外収益	500,000
		営業外費用	1,000,000
		経常利益	1,500,000
特別損益の部	特別利益		200,000
	特別損失		700,000
税引前当期純利益			1,000,000

（2）損益計算書上の利益の種類

損益計算書には段階に応じてさまざまな種類の利益が表記されます。

①売上総利益

売上高から売上原価を差し引いて求める利益で、商品で得られる純粋な利益

②営業利益

売上総利益から販売費及び一般管理費を差し引いて求める利益で、商品の仕入と販売、つまり本業によって得られる利益

③経常利益

営業利益に**営業外収益**を加算し、**営業外費用**を差し引いて求める利益。営業外収益・費用とは、本業以外で得たり、支払ったりする収益や費用

④税引前当期純利益

経常利益に**特別利益**を加算し、**特別損失**を差し引いて求める利益で、その期間の法人税を差し引く前の最終的な利益。特別利益・損失とは、臨時的、突発的に発生した利益・損失

⑤当期純利益

税引前当期純利益から支払うべき**法人税**等を差し引いた後の利益

2 商品の効率

多すぎず少なすぎず、必要な在庫量を**適正在庫**といいます。適正在庫状態を確認する指標には、商品回転率や在庫日数があります。

①商品回転率

一定期間に仕入れた商品が**何回転**したか（入れ替わったか）を示す。商品回転率の数値が**高い**ほど、効率的に売上につながっていることを示す

②在庫日数

現在の在庫が何日でなくなるか（在庫が何日分の売上高に相当するか）を示す

■商品の効率の指標

指標	計算式
商品回転率	売上高÷平均在庫高（売価）
在庫日数	在庫高（売価）÷1日当たりの平均売上高 （1日当たりの平均売上高＝売上高÷営業日数）

プラスワン

営業外収益には、預金、貸付金に関する受取利息や、保有する有価証券の受取配当金がある。営業外費用には、借入金や社債に関する支払利息や、海外との取引時の為替差損などがある。

Let's Try 一問一答

○×問題に答え、正解したらチェックマーク ☑ を入れましょう

☐ ① 損益計算書は、売上と費用、利益を表している。

☐ ② 営業利益は、売上高から売上原価を差し引いて算出される。

☐ ③ 販売費及び一般管理費には、人件費や地代家賃、広告宣伝費が含まれる。

☐ ④ 経常利益は、本業の儲けを示す指標である。

【解答・解説】

①○ ／②× 売上総利益から販売費及び一般管理費を差し引いて算出される。設問は売上総利益の算出方法である。／③○ ／④× 本業以外の損益も含めた企業活動での儲けを示している。

LESSON 7 売買損益の計算方法

学習のPOINT

頻出度 ★★★

Check!

売買損益計算は、売上高から売上総利益を求めるまでの一連の計算の流れである。期首在庫高と期中仕入高の合計額から、期末在庫高を引くと売上原価が算出できる。

1 売買損益とは

計算上、売上総利益を算出するまでの計算のことを売買損益計算といいます。

■売買損益計算のイメージ図

売上高		
期中仕入高	期首在庫高（その期の初めに残っていた在庫）	
期末在庫高（その期の末に残った在庫）	売上原価（その期に売り上げた分の原価）	
売上総利益（売上高から売上原価を差し引いた利益）	売上原価（その期に売り上げた分の原価）	

> 売上高から売上総利益を計算する過程のことを、売買損益計算といいます。

2 売買損益の計算方法

（1）ステップ1：売上高を計算する

売上高は、顧客に商品やサービスを販売することによって得た金額です。商品の視点では、「買上客数×客単価」で計算します。

> 売上高＝買上客数×客単価

（2）ステップ2：売上原価を計算する

売上原価は、その期に売り上げた商品の原価の金額です。

プラスワン

期末在庫高は、期末棚卸高、期末商品在庫高などと呼ばれることもある。

当期に存在した在庫（**期首在庫高＋期中仕入高**）から当期に売れ残った在庫（**期末在庫高**）を差し引いて、売上原価を計算します。

期首在庫高は、一定期間の開始日営業前に企業内にある在庫高の総額です。

期中仕入高は、一定期間内に仕入れた商品の総額です。

期末在庫高は、一定期間の終了日営業後に企業内にある在庫高の総額です。

> 売上原価＝期首在庫高＋期中仕入高－期末在庫高

■売上原価の計算イメージ

当期に存在した商品（期首在庫高＋期中仕入高）のうち、売り上げた分が売上原価で、売れ残った分が期末在庫高ですね。

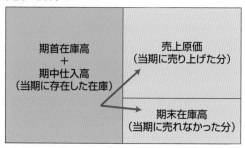

企業は毎日事業活動をするため、当期の期首在庫高は前期の期末在庫高になります。当期の**期末**在庫高は、次期の**期首**在庫高になります。

■在庫高と期中仕入高との関係

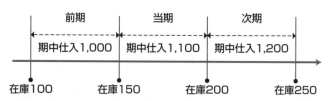

	前期	当期	次期
期首在庫高	100	150	200
期中仕入高	1,000	1,100	1,200
期末在庫高	150	200	250
売上原価	950	1,050	1,150

（3）ステップ３：売上総利益を計算する

　売上総利益は商品の付加価値で、販売費用などの全費用をまかなう利益です。売上高から売上原価（売り上げた商品の原価）を差し引いて、売上総利益を計算します。

> 売上総利益＝売上高－売上原価

要点マスター

売上原価と売上総利益の計算方法

- ●売上高：100,000円
- ●期首在庫高：10,000円
- ●期中仕入高：50,000円
- ●期末在庫高：20,000円

上記の条件のとき、売上原価の計算式は、
「期首在庫高（10,000円）＋期中仕入高（50,000円）－期末在庫高（20,000円）」
となり、売上原価は40,000円となる。
したがって売上総利益は、
「売上高（100,000円）－売上原価（40,000円）」
で60,000円となる。

Let's Try 一問一答

○×問題に答え、正解したらチェックマーク ☑ を入れましょう

☐	①	買上客数が1,000人で客単価が600円の場合、売上高は600,000円である。
☐	②	期首在庫高が100円で期中仕入高が1,000円で期末在庫高が150円の場合、売上原価は1,050円である。
☐	③	期中仕入高が1,100円で期末在庫高が200円で売上原価が1,050円の場合、期首在庫高は150円である。
☐	④	期首在庫高が200円で期中仕入高が1,200円で売上原価が1,300円の場合、期末在庫高は100円である。
☐	⑤	期首在庫高が300円で期末在庫高が350円で売上原価が2,000円の場合、期中仕入高は2,050円である。
☐	⑥	売上原価が600,000円で売上総利益が400,000円の場合、売上高は2,400,000円である。

【解答・解説】
①○ ／②× 売上原価＝期首在庫高100円＋期中仕入高1,000円－期末在庫高150円＝950円。／③○ ／④○ ／⑤○ ／⑥× （売上高－売上原価600,000円＝売上総利益400,000円）なので、売上高＝売上原価600,000円＋売上総利益400,000円＝1,000,000円。

金銭管理と万引き対策の基本

学習のPOINT

小売業での代金支払方法には、現金、商品券・ギフト券、小切手などがある。万引き防止対策として、声かけ、きれいな売場の維持、見通しのよい売場づくりなどがある。

頻出度
★★

1 代金支払の方法

　小売業は、商品を販売しその商品の代金を受け取ります。代金の支払は現金などの金券に限らず、いろいろな方法があります。

（1）金券の定義

　金券とは、現金のほか、小売業が発行元に持ち込むことで換金できる証券のことを指します。

（2）代金支払の方法の種類

　主な代金支払の方法には、次のものがあります。

①現　金

　中央銀行が発行する貨幣。法律で貨幣の通用力が守られている

②小切手

　小切手の振出人の当座預金口座から、小切手に書かれている金額分の現金を減額し、小切手を銀行に持参した人に同額の現金を渡す仕組みの証券

金券
小切手、商品券、図書カード、ギフト券などがある。

小売業で取り扱われる金券にはさまざまなものがあり、代金支払の方法にもさまざまなものがあります。

■小切手が現金化されるまで

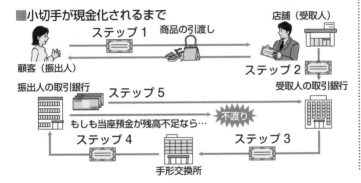

ステップ1　商品の引渡し
顧客（振出人）
店舗（受取人）
ステップ2
振出人の取引銀行　ステップ5　受取人の取引銀行
もしも当座預金が残高不足なら…　不渡り
ステップ4　ステップ3
手形交換所

③各種商品券やギフト券

商品券やギフト券・図書カードなどは、各企業や団体が発行。これらは、消費者からの支払に使われた際に、各発行元に持参することで現金に換金できる

④クレジットカード

顧客が小売店にクレジットカードで支払った場合、商品の代金は、後日、クレジット会社から小売店に支払われ、クレジット会社は顧客の銀行口座から代金を回収する

■**クレジットカードを使用した場合の支払の流れ**

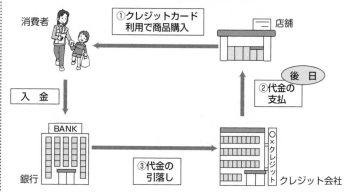

⑤デビットカード

顧客が小売店にデビットカードで支払った場合、小売店は直ちに銀行に確認し、顧客の預金残高から代金を引き落とす手続きを取る

■**デビットカードを使用した場合の支払の流れ**

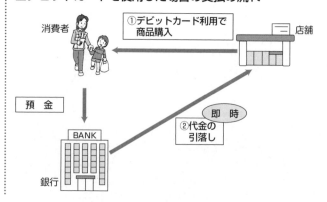

⑥電子マネー

　電子的なデータ交換だけで商品代金のキャッシュレス決済ができる仕組みである。実店舗向きのICカード型電子マネーや、ネットショッピング向きのネットワーク型電子マネーがある

■電子マネーの方式

ICカード型	ICチップを埋め込んだプラスチックカードや携帯電話を利用する
ネットワーク型	コンピュータに専用のソフトウェアをインストールして利用する

5章 販売・経営管理

② 万引き防止対策

　万引きの悪影響として、店頭での商品のロスが増加し、利益の減少に直結することがあります。特に、外的要因である万引きによるロスについては、徹底（てってい）した対策が求められています。

（1）万引き防止対策

　万引きを防止する主な対策として、次のようなものがあります。

①笑顔での声かけ

　顔を見て「いらっしゃいませ」の声かけをする。明るく活発な雰囲気は万引きをしにくくし、顔を見られることで顔を覚えられたかもしれないと万引きを躊躇（ちゅうちょ）する

②きれいな売場（うりば）の維持（いじ）

　管理が行き届いていない売場は、販売員の目配りが行き届いていないことを意味し、万引きされやすくなる。清掃（せいそう）や整理整頓、売場のメンテナンスの徹底が重要

③見通しのよい売場づくり

　売場の一部が販売員から死角（しかく）になっていたり、見通しが悪い売場は、万引きされやすい。レイアウトの工夫や、背の低いゴンドラの活用によって、見通しのよい売場づくりをすることが重要

④セキュリティシステム

代表的なものに、カメラによる監視システムと、商品に添付したタグやラベルを感知し、警告音を鳴らすシステムがある。また、ダミーの監視カメラやミラーを設置するだけでも、万引きをしにくい心理状態にすることができる。

さらに、ICタグが注目されている。ICチップとアンテナで構成される超小型装置で、RFIDと呼ばれる無線自動識別技術が応用されている

ステップアップ

ICタグは、ICチップと同様、超小型なので、あらゆる商品に目立たせずにつけられるという特徴がある。

？よくある質問？

Q 金銭管理の留意点にはどのようなことがありますか。

A 金銭管理の留意点として、①金券の確認、②小切手の確認、③店内での金銭管理の徹底、④入金額と金券類の残高不一致の改善、⑤内外の金銭盗難の防止、⑥不当な値引やレジの打ち漏れなど、「無意識の窃盗の防止」が挙げられます。

Let's Try　一問一答

○×問題に答え、正解したらチェックマーク ☑ を入れましょう

☐　①　金券には現金は含まれない。

☐　②　クレジットカードを使用すると、即座に銀行口座から引き落とされる。

☐　③　万引きは、利益の減少につながる。

☐　④　万引きをしようとする人を刺激しないために、声かけは顔を見ずに行った方がよい。

☐　⑤　監視カメラが偽物でも、万引きの防止対策になる。

☐　⑥　ミラーを設置することは、万引きの防止対策になる。

☐　⑦　ICチップは、ICタグとアンテナから構成されている。

☐　⑧　ICタグにはRFID技術が応用されている。

【解答・解説】
①×　現金も含まれる。／②×　後日、銀行口座から引き落とされる。／③○　／④×　声かけは、顔を見て行う。／⑤○　／⑥○　／⑦×　ICタグが、ICチップとアンテナから構成されている。／⑧○

衛生管理の基本

従来の衛生管理は、従業員一人ひとりが食中毒防止の3原則を徹底することであったが、近年はHACCPによる組織的な衛生管理が加わっている。

1 衛生管理

衛生管理は、今日の食品業界で最も求められている食の安全と安心に直接影響する、重要な取組みです。

（1）食中毒防止の3原則

食中毒防止の3原則は、次の通りです。

①細菌をつけない

食品を取り扱う際、自分の手や材料、調理器具に細菌をつけないことが重要。洗浄や殺菌、原材料と調理済みの食品の区分け包装などがポイント

②細菌を増やさない

管理する際に、細菌を増やさないことが重要。冷凍、冷蔵の温度管理の徹底、仕入と販売を計画的に行うことによる保存期間の短縮化がポイント

③細菌を殺す

調理をする際に、確実に細菌を殺すことが重要。調理時に、食材をすみずみまで加熱することがポイント

（2）HACCP（ハサップ）

HACCPとは、加工食品に関して、原料から製造・加工にわたる各工程の問題点を**リストアップ**し、各問題点の処理方法を**標準手順書**にまとめ、各工程を**モニタリング**します。モニタリング結果は記録・保管しておきます。従来方式では、出荷時の**完成品検査**で製品の問題を発見・対処しましたが、HACCPでは、**製造・加工の各工程の作業**において問題を発見・対処できます。

プラスワン

冷凍、冷蔵ケースの清掃や、古い商品から先に販売する「先入れ先出し陳列」の徹底も不可欠。

プラスワン

HACCPは、食品に危害を与える要因を予測し、重要な管理点を特定して、予防・対処することから、危害分析重要管理点と訳される。

■HACCPの管理イメージ

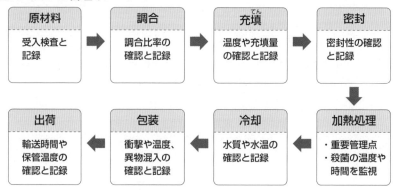

原材料	→	調合	→	充填(てん)	→	密封
受入検査と記録		調合比率の確認と記録		温度や充填量の確認と記録		密封性の確認と記録

出荷	←	包装	←	冷却	←	加熱処理
輸送時間や保管温度の確認と記録		衝撃や温度、異物混入の確認と記録		水質や水温の確認と記録		・重要管理点 ・殺菌の温度や時間を監視

食品表示法

従来の食品表示を統合し、アレルギー表示や加工食品の栄養成分表示、機能性表示などを見直した法律。

（3）食品表示法

　食品表示法は、包括的かつ一元的な食品表示の法律です。

①食品表示基準

　内閣総理大臣が策定した食品表示基準には、食品の名称や**アレルゲン**、保存方法、消費期限、**原材料**、添加物、栄養成分の量および熱量、原産地などの表示事項が定められている。食品表示基準の策定や変更をする場合、**内閣総理大臣**は、**厚生労働大臣**や農林水産大臣、**財務大臣**と協議し、消費者委員会の意見を聴くことが定められている

②生鮮食品の品質表示基準

　原産地について、国産品では以下の基準が定められている

■食品表示法による原産地表示の基準

種　類	表示義務の内容
農産物	都道府県名
畜産物	国産である旨
水産物	漁獲された水域名または地域名

※いずれの種類も輸入品は「原産国名」を表示します。

③加工食品の品質表示基準

　加工食品のうち、容器に入れられたもの、包装されたものについては、名称・原材料名・内容量・賞味期限・保存方法・製造業者の氏名、名称および住所を表示する

プラスワン

食品が、いつ、誰に、どこで、どうやって製造・加工され、どのような流通経路を通って、最終的に店頭に並んだのか、生産履歴を開示することをトレーサビリティという。

④有機農産物の表示

　JAS規格に合格したもののみ、有機農産物としての表示が可能

⑤遺伝子組換え食品の表示

　遺伝子組換え農産物および、それを使用している食品には表示が必要

要点マスター

食中毒防止の３原則と食品表示法による基準

食中毒防止の３原則	細菌をつけない
	細菌を増やさない
	細菌を殺す
食品表示法による基準	生鮮食品の品質表示基準
	加工食品の品質表示基準
	有機農産物の表示
	遺伝子組換え食品の表示

よくある質問

Q　消費期限と賞味期限の違いは何ですか？

A　劣化の速い食料品については消費期限を、劣化の比較的遅い食料品については賞味期限の表示が義務づけられています。

Let's Try 一問一答

○×問題に答え、正解したらチェックマーク ☑ を入れましょう		
☐	①	作業中に不用意に髪を触ってはいけない。
☐	②	食品を取り扱う従業員は、長髪は帽子の中にしまいこまなければならない。
☐	③	食中毒防止の3原則は「細菌をつけない」「細菌を増やさない」「細菌を触らない」である。
☐	④	商品管理では、後入れ先出し陳列を徹底する。
☐	⑤	食品表示法によると、遺伝子組換え食品にはその旨の表示が必要である。

【解答・解説】
①○ ／②○ ／③× 　細菌をつけない、細菌を増やさない、細菌を殺すである。／④×
先入れ先出し陳列を徹底する。／⑤○

付録

重要ポイントまとめてチェック

各LESSONの重要ポイントをピックアップして
まとめています。本試験直前の最終チェックなど
に活用しましょう。付属の赤シートを使うと効果
的です。

1 小売業の類型

LESSON 1	小売業は個人または家庭用消費者のために商品を販売する事業所（⇒P.14）
	小売業は消費者に代わって購買代理をする（⇒P.15）
	小売業はPB商品の開発に関わる（⇒P.15）
	中小小売業が生き残る方法の１つにチェーン加盟がある（⇒P.16）
LESSON 2	組織小売業のメリットは、大量仕入などの規模のメリットが大きい（⇒P.17）
	独立系小売業が自主的に参加するVC、本部と加盟店が個別に契約するFC、本部と店舗が同一資本で結びついているRC（⇒P.18,19）
	FCは本部が商品やノウハウを提供して、経営指導料（ロイヤルティ）を受け取る（⇒P.19）
LESSON 3	チェーンストア（単一資本で11店以上）はマス・マーチャンダイジングでバイングパワーを発揮している（⇒P.21）
LESSON 4	昼間の在宅率が下がると、訪問販売が非効率になる（⇒P.26）
	ネットスーパーには、店舗型と倉庫型がある（⇒P.27）
LESSON 5	実店舗で商品の特徴や在庫を確認し、低価格のネット通販で購入するショールーミング（⇒P.31）
	ネット通販と実店舗とを融合させるO2O（⇒P.32）
LESSON 6	専門（業態）店は顧客ニーズに合わせた品ぞろえで対面販売を重視する（⇒P.35）
LESSON 7	百貨店は、派遣店員による委託販売から自主マーチャンダイジングへと変化している（⇒P.37）
	SuSは、ワンストップショッピングで、衣食住の総合品ぞろえをし、マス・マーチャンダイジングを運営の基本とする（⇒P.38）
	ホームセンターは、日曜大工用品、家庭用品、園芸用品、ペット用品など品ぞろえの幅が広がっている（⇒P.39）
	ドラッグストアはH&BCをコンセプトにしている（⇒P.40）
	生協は、消費者（組合員）自身が共同購入を行う（⇒P.42）
LESSON 8	商業集積のうち、自然発生的なものが商店街、計画的に開発されたものがショッピングセンター（⇒P.44）
	近隣型は最寄品をそろえ、広域型は買回品をそろえる（⇒P.44,45）

2 マーチャンダイジング

LESSON 1	機能・性能の一次品質、生活スタイル・感性の二次品質、社会的評価の三次品質(⇒P.50,51)
	商品が持つ概念や主張を商品コンセプトという(⇒P.51)
LESSON 2	最寄品は日用品、買回品はファッション衣料、専門品は高級品をイメージする(⇒P.53,54)
	機能は商品に求められる役割であり、機能の程度が性能(⇒P.54)
LESSON 3	マーチャンダイジングは、商品計画・販売計画→仕入計画・仕入交渉→仕入→値入・価格設定→棚割・販促企画→店舗への送り込み→荷受・検品→保管、補充、ディスプレイ→商品管理・補充発注を繰り返す(⇒P.57)
LESSON 4	コンビニは多品種少品目少量の品ぞろえ(⇒P.61)
	コンビニは発注サイクルやリードタイムが短い(⇒P.61)
	コンビニは、ノー検品の荷受態勢がとられている(⇒P.62)
LESSON 5	ライン→クラス→サブクラス→アイテムの順で商品構成を細分化(⇒P.65)
	品ぞろえの幅は品種(商品カテゴリー)構成(⇒P.66)
	品ぞろえの奥行は品目(アイテム)構成(⇒P.66)
	品ぞろえの幅を広げる総合化、狭める専門化(⇒P.66)
LESSON 6	商品計画→販売計画→仕入計画の順で策定する(⇒P.69)
	売上計画は、商品展開計画、部門別計画、売場配置計画、販売促進計画、キャンペーン実施計画などで構成される(⇒P.70)
LESSON 7	大量仕入は、仕入原価が下がるが、売れ残ると損失が大きい(⇒P.72)
	随時仕入は、在庫が少なくて済むが、発注回数が増える(⇒P.72)
LESSON 8	多頻度小口配送で、メーカーや卸売業は経営が圧迫される(⇒P.76)
	物流センターは、自動倉庫機能や自動仕分け機能を備えている(⇒P.76)
LESSON 9	マーケットプライス法は、消費者の値頃感を重視する(⇒P.78)
LESSON10	値入高合計＝仕入高の売価－仕入原価(⇒P.82)
	平均値入率(%)＝(値入高合計÷仕入高の売価)×100(⇒P.82)

LESSON11	過剰在庫は**資金流動性低下**、過少在庫は**販売機会ロス発生**(⇒P.85)
	金額による在庫管理は**ダラーコントロール**、数量による在庫管理は**ユニットコントロール**(⇒P.86)
	商品回転率(回)＝**年間売上高÷商品在庫高**(売価)(⇒P.86)
	交差比率＝**粗利益率**(%)×**商品回転率**(回)(⇒P.87)
LESSON12	マーチャンダイジングでは、棚割を**計画する**(⇒P.89)
	外部情報と**内部情報**を分析して、購買の実態と傾向を把握する(⇒P.89,90)
LESSON13	POSシステムは**PLU**方式を採用している(⇒P.93)
	JANコードは商品識別コード。標準タイプ**13桁**で、最初の2桁が国コードである(⇒P.93,94)
	メーカーが表示する**ソースマーキング**、小売業が貼付する**インストアマーキング**(⇒P.94)

③ ストアオペレーション

LESSON 1	クリンリネスの３Ｓは整理・整頓・清掃(⇒P.99)
	朝礼では、目標達成の意思統一をする(⇒P.100)
	補充発注システムをEOSという(⇒P.100)
	電子データ交換の仕組みをEDIという(⇒P.100,101)
	検収では、発注書・納品書・納品された商品を照合する(⇒P.101)
	補充は先入れ先出し陳列(古い商品を前)で前進立体陳列(⇒P.101)
	店内表示の絵文字をピクトグラムという(⇒P.103)
	ミーティングのリーダーが中立的な立場で調整役になると、効率的にミーティングができる(⇒P.105)
LESSON 2	包装には個別商品包装の個装、個装を守る内装、輸送梱包用の外装の３段階がある(⇒P.107)
	斜め包みでは、包み終わりが箱の中心にくるようにする(⇒P.109)
	慶事は右前、弔事は左前で包装する(⇒P.109)
	びんは横にした状態で包装する(⇒P.110)
	慶事のお返しの表書きは「内祝」(⇒P.111)
	繰り返されてほしい慶事の水引きは蝶結び、繰り返されないでほしい慶事は結び切り(⇒P.111)
	弔事の水引きは結び切り(⇒P.112)
LESSON 3	ゴンドラ内で最も顧客の目につき、手に取りやすい位置がゴールデンライン(⇒P.116)
	定番商品を並べるゴンドラ陳列、商品の入っているダンボール箱を切り込むカットケース陳列(⇒P.116,118)
	商品をバラバラに投げ込むジャンブル陳列、複数の商品を組み合わせるコーディネート陳列、通路に平台を置くアイランド陳列(⇒P.119,120)
	ファッション衣料の空間コーディネートは三角構成が基本(⇒P.121)
	ハンガー陳列で顧客に商品の正面を見せるフェースアウト、袖を見せるスリーブアウト(⇒P.121)
	人体を再現するリアルマネキン、体の一部を誇張したアブストラクトマネキン、頭部が彫刻的なスカルプチュアマネキン、上半身ボディマネキンのトルソー(⇒P.122)

4 マーケティング

LESSON 1	小売業のマーケティングは**マイクロ・マーケティング**(⇒P.124, 125)
	小売業は地元商圏の**特定顧客**の**顧客シェア**を対象にする(⇒P.126)
	小売業は**多品種少量販売**、**チラシ広告**などの低コスト活動(⇒P.126)
LESSON 2	顧客満足の新3原則は**ホスピタリティ**(もてなしの精神)、**エンターテインメント**(娯楽や余興)、**プリヴァレッジ**(特権・特別待遇)(⇒P.128)
LESSON 3	FSPは、**優良顧客を優遇して固定客化するプログラム**(⇒P.131)
	FSPは**顧客満足度**の向上、ポイントカードは売上増加のための販売促進が目的(⇒P.133)
LESSON 4	消費者は**大きくて、近いところ**を選択して購買する(⇒P.135)
	店舗の選択が**ハフモデル**、都市の選択が**ライリーの法則**(⇒P.135)
	事業ドメインに合った立地に出店する(⇒P.137)
LESSON 5	広告などで需要を喚起して来店促進する**プル戦略**、店頭で販売促進する**プッシュ戦略**(⇒P.139, 140)
	広告は、有料で行う非人的販売促進活動。パブリシティは原則的に**無料**(⇒P.139)
	POP広告は、商品を売る場所に掲示した広告(⇒P.140)
LESSON 6	インバウンドの海外に持ち出す前提の買物は、消費税が**免税**される(⇒P.147)
	外国人旅行者向け消費税免税店は、本体価格と**消費税額**を明記する(⇒P.147)
	インバウンド向けに**接客コミュニケーション・店頭表示・商品説明の多言語対応**が必要(⇒P.148)
LESSON 7	現在の売場の問題を解決する**改善**、現在の売場を否定し新しい売場にする**改革**(⇒P.149)
	セルフサービス販売のレジは**一括集中精算**、セルフセレクション販売のレジは**売場ごと**(⇒P.150)
LESSON 8	照明形式には**直接照明・半直接照明・間接照明・半間接照明・全般拡散照明**がある(⇒P.153)
	照度の単位は**ルクス**、色温度の単位は**ケルビン**(⇒P.153, 154)
	色の3要素は**色相・明度・彩度**である(⇒P.154)
	赤系の暖色は**膨張**、青系の寒色は**収縮**して見える(⇒P.155)

5 販売・経営管理

LESSON 1	お辞儀には15度（会釈）、30度（普通礼）、45度（最敬礼）がある（⇒P.158）
	敬語には相手を直接敬う**尊敬語**と、自分がへり下る謙譲語Ⅰ・Ⅱ、さらに、丁寧語、美化語がある（⇒P.158,159）
	クレーム対応は、丁寧に**謝る**→顧客の話を最後まで聞く→状況の把握→原因究明と対応方法の提示→全従業員への**フィードバック**→店舗運営の改善の順（⇒P.160）
LESSON 2	大規模小売店舗立地法は店舗面積1,000㎡超が対象（⇒P.163）
	米穀類販売業を開始するためには、**農林水産大臣**への届出が必要（⇒P.164）
	割賦販売は2ヶ月以上・3回以上に分割して代金を受領する販売のこと（⇒P.165）
LESSON 3	消費生活用製品用の**PSCマーク**、電気用品用の**PSEマーク**（⇒P.168,169）
	取引価額1,000円未満は200円、1,000円以上は取引価額の20%が総付景品の上限（⇒P.170）
LESSON 4	リサイクルのマークは、矢印が**回転**している（⇒P.173）
	グリーンマークは**古紙再生促進**（⇒P.174,175）
LESSON 5	**売上総利益**＝売上高－売上原価（⇒P.177）
	ロス高＝売価－売上高（⇒P.178）
	税込価格＝税抜価格×（1＋税率）（⇒P.179）
	税抜価格＝税込価格÷（1＋税率）（⇒P.179）
LESSON 6	**営業利益**＝売上総利益－販売費及び一般管理費（⇒P.180）
	経常利益＝営業利益＋営業外収益－営業外費用（⇒P.181）
	税引前当期純利益＝経常利益＋特別利益－特別損失（⇒P.181）
	当期純利益＝税引前当期純利益－法人税等（⇒P.181）
LESSON 7	売上原価＝期首在庫高＋期中仕入高－期末在庫高（⇒P.184）
LESSON 8	小切手の振出人の当座預金の残高不足を「**不渡り**」という（⇒P.187）
	万引き防止対策には、**声かけ・きれいな売場・見通しのよい売場**・セキュリティシステム（ICチップ、RFID）、監視カメラ（⇒P.189,190）

LESSON 9	食中毒防止の３原則は細菌をつけない・細菌を増やさない・細菌を殺す(⇒P.191)
	食品の衛生管理手法にHACCPがある(⇒P.191)

6 よく問われる計数

販売士検定3級試験で問われやすい計数を実際に計算してみましょう。

次の各問の【　】の部分にあてはまる答えについて、選択肢から選びなさい。

（1）　売上高10,000千円、期首在庫高600千円、期中仕入高7,000千円、期末在庫高550千円であるとき、売上総利益は【　】千円となる。

1．1,850　　**2**．2,950　　**3**．3,000　　**4**．3,050

（2）　年間売上高が10,000千円で、商品在庫高の原価が200千円、売価が500千円であるとき、商品回転率は【　】回となる。

1．0.02　　**2**．0.05　　**3**．20　　**4**．50

【解　答】

（1）　2　　（2）　3

【解　説】

（1）　売上原価＝**期首在庫高**600千円＋期中仕入高7,000千円－**期末在庫高**550千円＝7,050千円

売上総利益＝**売上高**10,000千円－売上原価7,050千円＝2,950千円

（2）　商品回転率＝年間売上高10,000千円÷商品在庫高（**売価**）500千円＝20回

第1回 予想模擬試験

　この「予想模擬試験」は、第1回・第2回とも実際の試験に即した問題形式・構成になっています。時間配分を意識し、本試験をイメージしながら問題を解いてみましょう。試験時間は60分、1解答5点です（本試験と同じ時間・配点です。なお、本試験はインターネットを介して実施されます）。また、間違えた問題については必ず復習し、再度チャレンジしてください。

　「解答・解説」は別冊となっています。予想模擬試験終了後、採点と弱点補強のため、ご活用ください。

①小売業の類型

次の各問について、正しいものは○を、誤っているものは×をつけなさい。

（1）　経済構造実態調査では、ガソリンスタンドを営む事業所を小売業に分類する。

（2）　フランチャイズチェーンでは、加盟店同士がつながりを持ち、相互に助成し合う。

（3）　組織小売業では、本部が同じような店舗を集中管理する。

（4）　マス・マーチャンダイジングでは、高利益・低回転による大量仕入と多量販売を実施する。

（5）　売場を回って商品を集めて配送するネットスーパーは、倉庫型である。

（6）　小売業では、VRやARを活用して、商品を使用している様子を疑似体験できるなどのサービスでネット通販に対抗している。

（7）　業態は、経営方法を基準とした小売業の分類である。

（8）　百貨店は、仕入先や販売方法を全店舗で統一している。

（9）　総合品ぞろえスーパーは、顧客にワンストップショッピングの利便性を提供している。

（10）　一般社団法人日本ショッピングセンター協会では、小売業の店舗面積が1,000㎡以上であることを、ショッピングセンターの基準の一つとしている。

次の各問の【　】の部分にあてはまる答えについて、選択肢から選びなさい。

(11)　小売業は、消費財メーカーと共同で【　】ブランド商品を開発することがある。
　　　　1．ナショナル　　　2．プライベート
　　　　3．ファミリー　　　4．コーポレート

(12)　複数の店舗が共同で大量仕入することで仕入単価が安くなる【　】は、組織小売業のメリットの一つである。
　　　　1．速度の経済性　　　2．ネットワークの外部性
　　　　3．範囲の経済性　　　4．規模の経済性

(13)　本部と各店舗が同一の資本で結びついているチェーン形態は、【　】チェーンである。
　　　　1．ボランタリー　　　2．フランチャイズ
　　　　3．レギュラー　　　　4．ローカル

(14)　国際チェーンストア協会では、チェーンストアを「単一資本で【　】店以上の店舗を直接、経営管理する小売業、または飲食業の形態」と定義している。
　　　　1．8　　2．9　　3．10　　4．11

(15)　消費者がウェブサイト上で意思表示をすることにより取引をする販売形態は、【　】に分類される。
　　　　1．通信販売　　　2．店舗販売
　　　　3．移動販売　　　4．訪問販売

(16)　実店舗を商品の展示室のように利用し、ネット通販で購入する買
　　　物スタイルを【　】という。
　　　　　1．Webルーミング　　　2．ショールーミング
　　　　　3．シミュレーション　　4．O2O

(17)　経済産業省では、コンビニエンスストアの営業時間を【　】と定
　　　義している。
　　　　　1．14時間以上　　　2．18時間以上
　　　　　3．20時間以上　　　4．24時間

(18)　登録販売者になるためには、【　】が実施する試験に合格する必
　　　要がある。
　　　　　1．厚生労働省　　　2．商工会議所
　　　　　3．都道府県　　　　4．市町村

(19)　自然発生的に商業施設が集まって形成された商業集積を、【　】
　　　という。
　　　　　1．ショッピングセンター　　2．アウトレットモール
　　　　　3．商店街　　　　　　　　　4．エンターテインメントセンター

(20)　規模が小さい商業集積ほど、【　】の店舗が中心である。
　　　　　1．最寄品　　　2．買回品　　　3．専門品　　　4．奢侈品

②マーチャンダイジング

次の各問について、正しいものは○を、誤っているものは×をつけなさい。

(21)　商品は、購入者に便益（有用性）を与え、生産者や販売者に収益（利益）を与える。

(22)　消費者は、商品の性能の程度である機能が高ければ、より高い満足を得ることができる。

(23)　マーチャンダイジングは、サイクル状の循環プロセスで表される。

(24)　店舗や本部の仮説・発注精度を向上させる手法として、PDCAサイクルがある。

(25)　商品構成の差別化の方向性を打ち出したものを「品ぞろえコンセプト」という。

(26)　先に販売計画を作成することで、欠品や過剰在庫を減らす効果がある。

(27)　一般的に、随時仕入は、大量仕入より発注回数が減る。

(28)　初期発注の方式には、定量発注方式と定期発注方式とがある。

(29)　商品回転率は、商品在庫高（売価）を年間売上高で割って求める。

(30)　POSシステムを導入しても、単品管理ができるようにならない。

次の各問の【　】の部分にあてはまる答えについて、選択肢から選びなさい。

(31)　洋服であれば、流行性や【　】の評価が三次品質に相当する。
　　　1．ブランド　　2．機能　　3．性能　　4．フィット感

(32)　比較的高価で、いくつかの店舗を回って品質や価格などを比較・検討して購入する商品を、【　】という。
　　　1．最寄品　　2．買回品　　3．専門品　　4．贈答品

(33)　マーチャンダイジングでは、最初に【　】を策定する。
　　　1．棚割計画　　2．仕入計画
　　　3．価格設定　　4．商品計画

(34)　商品構成において、品種を【　】という。
　　　1．商品カテゴリー　　2．商品アイテム
　　　3．単品　　　　　　　4．SKU

(35)　品ぞろえの幅を広げることを、商品構成の【　】という。
　　　1．専門化　　2．細分化　　3．総合化　　4．多重化

(36)　売上計画のうち、【　】は、いつ、どの商品を、どのように売っていくかの計画である。
　　　1．売場配置計画　　2．商品展開計画
　　　3．部門別計画　　　4．販売促進計画

(37)　本部で商品を一括して仕入れ、それを各店舗に配荷する方式を、【　】方式という。
　　　1．集中仕入　　2．大量仕入
　　　3．随時仕入　　4．店舗ごとの独自仕入

(38)　消費者への商品の受け渡しの物流を、【　】という。
　　　1．社内間移動物流　　　2．返品物流
　　　3．調達物流　　　　　　4．販売物流

(39)　販売分析で活用する内部の情報には、【　】などがある。
　　　1．メーカーの新商品情報　　2．商圏内の世代別人口
　　　3．POSデータ　　　　　　4．競合店の特売情報

(40)　標準13桁のJANコードのうち、左から9桁または7桁が【　】である。
　　　1．国コード　　　　　　2．JAN企業（メーカー）コード
　　　3．アイテムコード　　　4．チェックデジット

次の各問について、正しいものは〇を、誤っているものは×をつけなさい。

(41) 掃除中に顧客が近づいてきても、手を止めずに清掃を続ける。

(42) 顧客自身が精算するPOSレジを、セルフチェックアウト・システムという。

(43) 店内の表示物に破損や汚れがあったら、月末に交換や清掃をする。

(44) 商品個々の包装を外部圧力から守る包装を、内装という。

(45) 箱を包装紙で包む場合の斜め包みでは、包み終わりが箱の中心にくるように包む。

(46) キャラメル包みは、うれしい出来事のパーソナルギフトなどに用いられる。

(47) 弔事の和式進物包装の表書きでは、墨の色を薄くする。

(48) ディスプレイの評価基準に、作業の効率性は入っていない。

(49) ゴンドラの中で最も顧客の目につき、手に取りやすい位置をブラインドラインという。

(50) 前進立体陳列では、前出し作業が必要である。

　次の各問の【　】の部分にあてはまる答えについて、選択肢から選びなさい。

(51)　クリンリネスの中で、乱れた商品を整え、不要なものを取り除くことを、【　】という。
　　　1．整理　　2．整頓　　3．清掃　　4．清潔

(52)　【　】とは、補充発注システムのことである。
　　　1．POS　　2．CAT　　3．EDI　　4．EOS

(53)　買上商品を包装または袋詰めするレジ係の役割を、【　】という。
　　　1．サービス係　　　2．チェッカー
　　　3．サッカー　　　　4．キャッシャー

(54)　異なる組織間のデータ交換では、標準ルールである【　】を定める必要がある。
　　　1．プログラム　　　　2．プロトコル
　　　3．マスターファイル　4．バーコード

(55)　「包装とは、物品の輸送、保管などにあたって、価値および状態を保護するために適切な材料、容器などを物品に施す技術および施した状態」と【　】で規定されている。
　　　1．ISO　　2．JIS　　3．JAS　　4．GS1

(56)　箱などを包装紙の中心に斜めに置いて、包装紙の4つの角を立ちあげて包む方法を、【　】という。
　　　1．斜め包み　　　　　2．キャラメル包み
　　　3．斜め合わせ包み　　4．スクエア包み

(57) 和式進物包装で、品物が【　】のときは、かけ紙にのしをつけない。
　　　1．魚　　　2．菓子　　　3．衣類　　　4．工芸品

(58) 商品の入っているダンボール箱を切り込み、商品が入ったまま積み上げるのは、【　】である。
　　　1．カットケース陳列　　　2．ボックス陳列
　　　3．フック陳列　　　　　　4．ステージ陳列

(59) 商品をガラスケース内などに陳列し、販売員が取り出して顧客に見せるのは、【　】である。
　　　1．壁面陳列　　　　　　　2．オープン陳列
　　　3．ショーケース陳列　　　4．アイランド陳列

(60) ファッション衣料陳列における【　】は、左右対称に陳列する空間コーディネートである。
　　　1．アシンメトリー構成　　　2．集中構成
　　　3．シンメトリー構成　　　　4．拡散構成

④マーケティング

次の各問について、正しいものは○を、誤っているものは×をつけなさい。

(61)　マーケティングとは、「市場において企業が自己の優位性を確立するための販売に関するさまざまな活動の革新」であるとされている。

(62)　小売業のマーケティングは、全国や世界の特定多数顧客を標的とするマクロ（クラスター）・マーケティングである。

(63)　顧客の願いをかなえ、感動を与えるような従業員の行動は、顧客満足経営の新3原則のうちの、ホスピタリティである。

(64)　小売業では「来店頻度が上位8割の顧客が、店舗全体の利益の2割を生む」という「8：2の法則」が知られている。

(65)　商圏とは、店舗、商業集積、都市の顧客吸引力が及ぶ地理的範囲や時間的範囲である。

(66)　見本品や試供品のことを、プレミアムという。

(67)　実演販売は、人的販売の一つである。

(68)　日本から見た場合に、訪日外国人の旅行を、アウトバウンド旅行という。

(69)　出口近くのレジで一括集中精算をするのは、セルフセレクション販売の特徴である。

(70)　色相環で向かい合った対極にある色同士を、補色という。

次の各問の【 】の部分にあてはまる答えについて、選択肢から選びなさい。

(71) 特定多数の顧客を対象として、顧客の満足を目的とする考え方を、【 】という。
　　1．セリング志向　　2．販売志向
　　3．メーカー志向　　4．マーケティング志向

(72) 品種ごとに1〜2品目程度の商品に売れ行きが集中することを、【 】という。
　　1．チェリーピッカー型売れ行き現象
　　2．ガリバー型売れ行き現象
　　3．ロスリーダー型売れ行き現象
　　4．カテゴリーキラー型売れ行き現象

(73) 行きつけのレストランで眺めのよい席に案内されるのは、【 】による顧客満足である。
　　1．商品　　　　　　2．ホスピタリティ
　　3．プリヴァレッジ　　4．エンターテインメント

(74) FSPは、自店の売上や利益への貢献度により特典に差をつける【 】の政策である。
　　1．公平化　　2．平等化　　3．共同化　　4．短期化

(75) その都市に周辺都市から消費者が流れてくる範囲を、【 】という。
　　1．小売店の単独商圏　　2．商業集積の商圏
　　3．都市の商圏　　　　　4．事業領域の商圏

(76)　インストアマーチャンダイジングは、【　】ともいわれる。
　　　1．プット戦略　　　2．ペイ戦略
　　　3．プッシュ戦略　　4．プル戦略

(77)　リージョナルプロモーションのうち、【　】は、インストアプロ
　　モーションといわれる。
　　　1．来店促進策　　　2．販売促進策
　　　3．購買促進策　　　4．検索促進策

(78)　一般社団法人日本プロモーショナル・マーケティング協会では、
　　【　】を、「商品に関するディスプレイ、サインなどで、広告商品が
　　販売される小売店の内部またはその建物に付属して利用されるすべ
　　ての広告物」と定義している。
　　　1．POP広告　　　　2．交通広告
　　　3．チラシ広告　　　4．マスメディア広告

(79)　売場で待機している販売員が、顧客に呼ばれたときに横に付き添
　　い、顧客からの質問に答える販売方式を、【　】方式という。
　　　1．推奨販売　　　2．デモンストレーション販売
　　　3．側面販売　　　4．カウンセリング販売

(80)　特定のディスプレイや商品を目立たせる【　】では、スポットラ
　　イトやダウンライトなどが使用されることが多い。
　　　1．全般照明　　2．重点照明　　3．装飾照明　　4．省エネ照明

⑤販売・経営管理

次の各問について、正しいものは〇を、誤っているものは×をつけなさい。

(81) 顧客の話すことを肯定で受け、その後で意図を伝える「イエス・バット法」の聞き方は顧客に安心感を与える。

(82) 「聞く」の謙譲語Ⅰは、「伺う」である。

(83) 売買契約は、双務契約である。

(84) 取引価額900円の場合の総付景品最高額は180円である。

(85) パソコンは、家電リサイクル法にもとづく回収が義務づけられている。

(86) 売上高は「買上客数×客単価」で求められる。

(87) 在庫日数は、「在庫高（原価）÷１日当たりの平均売上高」で求められる。

(88) 売上原価は、その期に仕入れた商品の原価総額である。

(89) きれいな売場の維持は、万引き防止対策になる。

(90) JIS規格に合格したもののみ、有機農産物としての表示が可能になる。

次の各問の【　】の部分にあてはまる答えについて、選択肢から選びなさい。

(91) 「申し訳ございません」などで使用する最敬礼では、【　】の角度でお辞儀する。
1．5度　　2．15度　　3．30度　　4．45度

(92) 会話の相手を高めて直接敬意を表す敬語を、【　】という。
1．美化語　　2．丁寧語　　3．尊敬語　　4．謙譲語Ⅱ

(93) 米穀類販売業を開始する場合、【　】が必要である。
1．農林水産大臣への届出　　　2．都道府県知事への登録
3．所轄税務署長の免許　　　　4．財務大臣の許可

(94) 劣化が速い食品では、【　】の日付表示が必要である。
1．品質保持期限　　2．消費期限
3．製造年月日　　　4．賞味期限

(95) 古紙を【　】以上利用した製品と承認されたものに、グリーンマークが付与される。
1．10%　　2．20%　　3．30%　　4．40%

(96) 売価を引き下げたことによるロスを、【　】という。
1．値下ロス　　2．廃棄ロス
3．不明ロス　　4．減耗ロス

(97) 「支払う人」と「納める人」とが違う税金を、【　】という。
1．所得税　　2．資産税　　3．間接税　　4．直接税

（98） 売上高が100,000円で売上原価が40,000円の場合、【　】は60,000円である。

  1．売上総利益　　　　2．経常利益

  3．税引前当期純利益　　4．当期純利益

（99） 金券の振出人の当座預金口座から、金券に書かれている金額分の現金を減額し、金券を銀行に持参した人に同額の現金を渡すのは、【　】という金券である。

  1．図書カード　　2．商品券

  3．ギフト券　　4．小切手

（100）　加工食品に危害を与える要因を予測し、重要な管理点を特定して予防・対処する衛生管理手法として、【　】がある。

  1．ECR　　2．HACCP　　3．CPFR　　4．CRP

第2回 予想模擬試験

①小売業の類型

次の各問について、正しいものは〇を、誤っているものは×をつけなさい。

（1） 経済センサス‐活動調査では、自店で製造した商品をその場所で個人または家庭用消費者に販売する事業所を製造業に分類する。

（2） チェーンストアの店舗では、標準化された販売活動をすることで、店舗運営のコストが上がる。

（3） フランチャイズチェーンには、メーカー主宰や卸売業主宰のものがある。

（4） チェーンオペレーションの業務マニュアルには、地域ごとに異なるニーズに対応できないというデメリットがある。

（5） 自動車の小売業は、店舗販売の割合が少ない。

（6） EC化率は、実店舗を除く全商取引金額に対する電子商取引金額の割合である。

（7） 広義の専門店は、「取扱商品において、特定の分野が90％以上を占めるセルフサービス販売の店」と経済産業省が定義している。

（8） ホームセンターでは、日曜大工用品から、家具、園芸用品、ペット用品へと取扱品目が拡大している。

（9） 衣料品の取扱構成比が70％を超える専門スーパーが、一般的なスーパーマーケットである。

（10） ショッピングセンターなどで集客力の高い店舗を、キーテナントという。

次の各問の【　】の部分にあてはまる答えについて、選択肢から選びなさい。

(11)　小売業は消費者に代わって【　】の役割を果たしている。
　　　1．購買代理　　　2．配送代理
　　　3．販売代理　　　4．在庫代理

(12)　チェーンストアにおける、ナショナルチェーンやリージョナルチェーンは、【　】による分類である。
　　　1．資本形態　　　2．商圏規模
　　　3．店舗形態　　　4．商品分類

(13)　【　】とは、チェーンの本部が加盟店から毎月受け取る経営指導料である。
　　　1．フランチャイザー　　　　2．バイングパワー
　　　3．フランチャイズパッケージ　　　4．ロイヤルティ

(14)　画一的な多店舗展開を進行するのは、チェーンストア本部の【　】機能である。
　　　1．店舗運営　　　2．商品管理
　　　3．店舗開発　　　4．物流センター

(15)　店舗型ネットスーパーには、【　】という特徴がある。
　　　1．受注能力を増やしやすい　　　2．設備投資が大きい
　　　3．参入が容易　　　　　　　　　4．黒字化に時間がかかる

(16)　複数の販売経路や顧客接点を連携して顧客の利便性を高め、多様な購買機会を作り出すことを【　】という。
　　　1．オムニチャネル　　　2．ルーミング
　　　3．仮想現実　　　　　　4．拡張現実

(17)　ドラッグストアは、自分で健康管理を行う【　】を推進することによって、化粧品店と差別化している。

　　　1．EDLP　　　　　　　　　　2．H&BC
　　　3．セルフメディケーション　　4．DIY

(18)　COOPは、【　】である組合員が出資を行う協同組合である。

　　　1．生産者　　2．卸売業者　　3．小売業者　　4．消費者

(19)　スーパーマーケットやドラッグストアなどを組み合わせた近隣型のショッピングセンターを【　】型SCという。

　　　1．ネイバーフッド　　2．リージョナル
　　　3．コミュニティ　　　4．スーパーリージョナル

(20)　一般社団法人日本ショッピングセンター協会では、「1つの単位として計画、開発、所有、管理運営される商業・サービス施設の集合体で【　】を備えるもの」とショッピングセンターを定義している。

　　　1．休憩所　　2．駐車場　　3．託児所　　4．飲食店

②マーチャンダイジング

次の各問について、正しいものは〇を、誤っているものは×をつけなさい。

(21)　一次品質では、商品に求める基本的な機能・性能を評価する。

(22)　最寄品は、住居に比較的近いところで、購買決定するまでに多くの時間や労力をかけて購入する商品である。

(23)　チェーンストアでは、店舗が棚割表を作成する。

(24)　小売店が商品を発注してからその店舗に届くまでの時間を、発注サイクルという。

(25)　商品の品種構成を品ぞろえの奥行といい、品目構成を品ぞろえの幅という。

(26)　売上計画のうちの部門別計画は、どの部門をどの売場に配置するかの計画である。

(27)　品切れした商品の陳列スペースは、売場担当者の判断によって他の商品で埋め合わせてはいけない。

(28)　多頻度小口（少量）配送は、メーカーや卸売業の経営を圧迫している。

(29)　毎日、継続的に、競争店よりも安い価格で販売し続ける価格政策を、エブリデイロープライスという。

(30)　JANコードを製造・出荷段階で商品包装に直接印刷する方法を、インストアマーキングという。

次の各問の【 】の部分にあてはまる答えについて、選択肢から選びなさい。

（31） 商品の持つ概念や主張を、【 】という。
　　　1．有用性　　　　　　　2．商品デザイン
　　　3．商品コンセプト　　　4．商品評価

（32） 日本標準商品分類は、【 】が所管している。
　　　1．総務省　　　　　　　2．経済産業省
　　　3．公正取引委員会　　　4．消費者庁

（33） マーチャンダイジングでは、主に【 】の在庫が少なくなったら、補充するために補充発注する。
　　　1．特売商品　　　2．定番商品
　　　3．見切商品　　　4．臨時商品

（34） コンビニエンスストア各店舗では、主要な商品カテゴリーの【 】の荷受態勢がとられている。
　　　1．自動補充　　　2．センター納品
　　　3．EOB発注　　　4．ノー検品

（35） 幅が広く、奥行が浅い品ぞろえの商品構成を【 】という。
　　　1．B&S型　　　2．B&D型　　　3．N&S型　　　4．N&D型

（36） 商品計画の次に【 】を立案する。
　　　1．販促計画　　　2．仕入計画
　　　3．棚割計画　　　4．販売計画

（37）　仕入担当者を、【　】という。
　　　1．スーパーバイザー　　　2．ディストリビューター
　　　3．バイヤー　　　　　　　4．ホールセラー

（38）　消費者の値頃感を重視した価格設定法を、【　】という。
　　　1．コストプラス法　　　2．マーケットプライス法
　　　3．マークアップ法　　　4．競争を意識した価格設定法

（39）　3,000円で仕入れた商品を5,000円で発売し、4,000円に値下げして
　　　販売できたときの値入率は【　】である。
　　　1．25％　　　2．40％　　　3．60％　　　4．75％

（40）　POSデータを利用して、各種の情報管理や分析を行うコンピュー
　　　タは、【　】である。
　　　1．ストアコントローラ　　　2．ATM
　　　3．ハンドラベラー　　　　　4．POSターミナル

③ストアオペレーション

次の各問について、正しいものは〇を、誤っているものは×をつけなさい。

(41) 作業のロスや経費のロスを減らす売上至上主義によって、利益を増やすことができる。

(42) EDIによって、ペーパーレスが実現できる。

(43) 先入れ先出し陳列では、日付の新しい商品から先に補充する。

(44) 朝礼では、経営方針や前日の業務引き継ぎ事項などの重要事項について、時間をかけて話し合う。

(45) 包装には、商品の保護や取扱いの利便性、販売単位の形成、販売促進、情報伝達の手段という目的がある。

(46) 慶事の進物の箱を包装紙で包む場合、包み終わりは左前にする。

(47) 包装でひもをかけるとき、商品の中央でひもを結ぶことが、ひもがゆるまなくなるコツである。

(48) 小売店の業態や業種にかかわらず、見やすさと触れやすさの範囲は一定である。

(49) コーディネート陳列には、商品の使用感をイメージできるというメリットがある。

(50) 平台陳列では、アンコ（ダミー）を重ねて土台をつくってボリューム感を出すことができる。

次の各問の　【　】　の部分にあてはまる答えについて、選択肢から選びなさい。

(51)　クリンリネスの中で、商品などの保管場所を決めて片づけることを、【　】という。
　　　1．躾（しつけ）　　2．整理　　3．清掃　　4．整頓

(52)　検収では、発注書と【　】と商品とを照合する。
　　　1．納品書　　　　　2．領収書
　　　3．POSデータ　　　4．EOSデータ

(53)　一般案内用図記号検討委員会が定めた絵文字体系に、【　】がある。
　　　1．モノグラム　　　　2．ピクトグラム
　　　3．プラノグラム　　　4．ダイアグラム

(54)　商品の保管や内容表示、輸送に必要な梱包の包装を、【　】という。
　　　1．個装　　2．内装　　3．外装　　4．商業包装

(55)　慶事の和式進物包装の水引きは、【　】などの色にする。
　　　1．紅白　　2．黒白　　3．銀白　　4．黄白

(56)　【　】祝いの和式進物包装の水引きは、結び切りにする。
　　　1．長寿　　2．結婚　　3．出産　　4．進学

(57)　数え年99歳の長寿祝いを、【　】という。
　　　1．古希　　2．喜寿　　3．米寿　　4．白寿

(58) 店舗の入口付近で、店外を歩く顧客に商品をアピールするのは、
【 】陳列である。
　　1．ショーウインドウ　　2．ジャンブル
　　3．エンド　　　　　　　4．レジ前

(59) ファッション衣料の陳列で、ハンガーに掛けて商品の袖を見せる
ディスプレイを、【 】という。
　　1．フォールデッド　　2．ウォーターフォール
　　3．スリーブアウト　　4．フェースアウト

(60) ファッション衣料を陳列する際に使用する上半身ボディマネキン
を、【 】という。
　　1．アブストラクトマネキン　　2．スカルプチュアマネキン
　　3．トルソー　　　　　　　　　4．リアルマネキン

④マーケティング

次の各問について、正しいものは〇を、誤っているものは×をつけなさい。

(61)　メーカーのマーケティングは、多品種を少量ずつ販売する。

(62)　販売志向とは、不特定多数の消費者を対象として、商品を売ることを目的とする考え方である。

(63)　同質化競争では、企業規模の小さい小売店が脱落しやすい。

(64)　FSPには、優良顧客の満足度を高め、流動客化するねらいがある。

(65)　立地選定では、マクロレベルの分析の後、マイクロレベルの分析をする。

(66)　リージョナルプロモーションの３P戦略は、プル戦略、プレス戦略、プット戦略である。

(67)　人的販売は、購買促進策の一つである。

(68)　消費税の免税店は、免税店シンボルマークを表示できる。

(69)　現在の売場を否定し、新しい売場にすることを、改善という。

(70)　黒は光を吸収し、白は光を反射する特性がある。

次の各問の【　】の部分にあてはまる答えについて、選択肢から選びなさい。

(71)　メーカーが希望小売価格を提示せず、小売店が市場価格を判断し、売価を設定するのは、【　】の価格政策である。
　　　1．一物多価　　　　　　　　2．エブリデイロープライス
　　　3．ハイ・ロープライス　　　4．オープンプライス

(72)　小売業のマーケティングでは、来店率と購買率を上げて、【　】を拡大する。
　　　1．顧客シェア　　　　　　　2．市場シェア
　　　3．インストアシェア　　　　4．ブランドシェア

(73)　顧客満足では、顧客中心で顧客の期待する内容やレベルを上回る商品やサービスを提供する、【　】が求められる。
　　　1．マニュアル型販売　　　　2．セルフサービス型販売
　　　3．思考型販売　　　　　　　4．対面型販売

(74)　顧客データのうち、【　】は履歴データに区分される。
　　　1．職業　　　2．ライフスタイル　　　3．性別　　　4．問合せ

(75)　既存の出店エリア内やその周辺に、高密度で多店舗出店するのは、【　】戦略である。
　　　1．巨艦型出店　　　　　　　　2．チェーン加盟型出店
　　　3．エリアドミナント出店　　　4．商業集積型出店

(76)　小売店や商品が、雑誌やテレビなどの記事・ニュースとして、原則的に無料で採用される来店促進策は、【　】である。
　　　1．広告　　　2．パブリシティ
　　　3．口コミ　　4．ポスティング

(77)　POP広告には、【　】を増やす目的がある。
　　　1．来店頻度　　2．来店客数
　　　3．買上点数　　4．商品単価

(78)　少量で割安の特別品を用意する値引き方法を、【　】という。
　　　1．クーポン　　　2．キャッシュバック
　　　3．増量パック　　4．お試しサイズ

(79)　ゴンドラの最前列に並べる単品の配分スペース（個数）を決める
　　　ことを、【　】という。
　　　1．フェイシング　　　　2．フロアゾーニング
　　　3．フロアレイアウト　　4．ワンウェイコントロール

(80)　「省電力」「長寿命」「熱線や紫外線が少ない」という特徴を持つ
　　　光源は、【　】である。
　　　1．LED照明　　2．白熱灯
　　　3．蛍光灯　　　4．HIDランプ

⑤販売・経営管理

次の各問について、正しいものは〇を、誤っているものは×をつけなさい。

(81) 返品要求には、顧客側の錯誤と販売店側の錯誤・ミスの場合がある。

(82) 「召し上がる」は、「食べる」の美化語である。

(83) 薬局を開業する場合、厚生労働大臣の許可を受けなければならない。

(84) 有機食品の検査認証・表示制度は、コーデックス委員会のガイドラインに適合している。

(85) ダンボールは、容器包装リサイクル法におけるリサイクル義務の対象になっていない。

(86) 税込価格8,800円、税率10%の場合、消費税は800円である。

(87) 商品回転率の数値が低いほど、効率的に売上につながっていることを示す。

(88) 当期の期首在庫高は、次期の期末在庫高になる。

(89) デビットカードで支払った場合、代金は月末にまとめて口座から引き落とされる。

(90) 食中毒防止の３原則は、「細菌をつけない」「細菌を増やさない」「細菌を殺す」である。

次の各問の 【　】 の部分にあてはまる答えについて、選択肢から選びなさい。

(91)　メラビアンの研究結果は、コミュニケーションでは【　】からの情報の影響力が大きいことを示している。
　　　1. 言葉　　2. 声　　3. 声の調子　　4. 視覚

(92)　クレーム対応の手順では、【　】という対応から始めるのがよいとされている。
　　　1. 状況の把握
　　　2. 丁寧に謝る
　　　3. 顧客の話を最後まで聞く
　　　4. 原因究明と対応方法の提示

(93)　大規模小売店舗立地法における大規模小売店舗とは、店舗面積【　】㎡超の大型店を指す。
　　　1. 500　　2. 800　　3. 1,000　　4. 1,500

(94)　取引に付随して景品類を提供するが、懸賞によらないものを、【　】という。
　　　1. 総付景品　　2. 一般懸賞
　　　3. 共同懸賞　　4. オープン懸賞

(95)　環境問題の取組みの国際規格として、【　】というマネジメントシステムがある。
　　　1. プライバシーマーク　　2. ISO9000シリーズ
　　　3. BLマーク　　　　　　4. ISO14000シリーズ

(96) 本業でもうけた利益を、【 】という。
 1．売上総利益　　 2．経常利益
 3．営業利益　　　 4．当期純利益

(97) 在庫や発注、販売のデータから求めた理論上の在庫を、【 】という。
 1．帳簿在庫　　 2．棚卸在庫
 3．適正在庫　　 4．安全在庫

(98) 期首在庫高600,000円、期中仕入高3,000,000円、期末在庫高1,200,000円の場合、売上原価は【 】円である。
 1．1,200,000　　 2．2,400,000　　 3．3,600,000　　 4．4,800,000

(99) 貨幣価値を事前にチャージする電子マネーを、【 】型という。
 1．ICカード　　　 2．ポストペイ
 3．ネットワーク　 4．プリペイド

(100) 食品の製造・加工に関する情報や流通経路など、店頭に並ぶまでの履歴を開示することを、【 】という。
 1．トレーサビリティ　　 2．サプライチェーン
 3．ディマンドチェーン　 4．ジャスト・イン・タイム

第1回　予想模擬試験　答案用紙

実施：　　年　　月　　日

①小売業の類型

（1）	（2）	（3）	（4）	（5）	（6）	（7）	（8）	（9）	（10）

（11）	（12）	（13）	（14）	（15）	（16）	（17）	（18）	（19）	（20）

②マーチャンダイジング

（21）	（22）	（23）	（24）	（25）	（26）	（27）	（28）	（29）	（30）

（31）	（32）	（33）	（34）	（35）	（36）	（37）	（38）	（39）	（40）

③ストアオペレーション

（41）	（42）	（43）	（44）	（45）	（46）	（47）	（48）	（49）	（50）

（51）	（52）	（53）	（54）	（55）	（56）	（57）	（58）	（59）	（60）

④マーケティング

（61）	（62）	（63）	（64）	（65）	（66）	（67）	（68）	（69）	（70）

（71）	（72）	（73）	（74）	（75）	（76）	（77）	（78）	（79）	（80）

⑤販売・経営管理

（81）	（82）	（83）	（84）	（85）	（86）	（87）	（88）	（89）	（90）

（91）	（92）	（93）	（94）	（95）	（96）	（97）	（98）	（99）	（100）

第2回　予想模擬試験　答案用紙

実施：　年　月　日

①小売業の類型

（1）	（2）	（3）	（4）	（5）	（6）	（7）	（8）	（9）	（10）

（11）	（12）	（13）	（14）	（15）	（16）	（17）	（18）	（19）	（20）

②マーチャンダイジング

（21）	（22）	（23）	（24）	（25）	（26）	（27）	（28）	（29）	（30）

（31）	（32）	（33）	（34）	（35）	（36）	（37）	（38）	（39）	（40）

③ストアオペレーション

（41）	（42）	（43）	（44）	（45）	（46）	（47）	（48）	（49）	（50）

（51）	（52）	（53）	（54）	（55）	（56）	（57）	（58）	（59）	（60）

④マーケティング

（61）	（62）	（63）	（64）	（65）	（66）	（67）	（68）	（69）	（70）

（71）	（72）	（73）	（74）	（75）	（76）	（77）	（78）	（79）	（80）

⑤販売・経営管理

（81）	（82）	（83）	（84）	（85）	（86）	（87）	（88）	（89）	（90）

（91）	（92）	（93）	（94）	（95）	（96）	（97）	（98）	（99）	（100）

索引

欧文・数字

2：8の法則 ------------------ 131
AR（拡張現実）------------ 32
B to B --------------------------- 29
B to C --------------------------- 29
C to C --------------------------- 29
CVS ------------------------------ 41
DgS ------------------------------ 40
EC化率 -------------------------- 29
EDI ----------------------------- 100
EOB ------------------------------ 62
EOS ---------------------------- 100
Gマーク商品 ------------------ 55
HACCP(ハサップ) --------- 191
HC ------------------------------- 39
ICタグ ------------------------ 190
ICチップ ---------------------- 190
JAN(Japanese Article
Number)コード ------------ 93
Japan. Tax-free Shop --- 147
LED照明 ---------------------- 154
N字 ------------------------------ 110
O2O ----------------------------- 32
PDCAサイクル --------------- 89
PLU(価格検索)方式 -------- 93
POP広告 ---------------------- 140
POSシステム ------------------ 92
POSデータ ----------------- 15,61
QRコード決済 --------------- 147
RFID --------------------------- 190
SC ------------------------------- 46
SKU --------------------------- 151
SM ------------------------------- 39
SuS ------------------------------ 38
VR(仮想現実) ---------------- 32
Web-EDI ---------------------- 101
Webルーミング -------------- 31

あ

アイテム ---------------------- 65
粗利益高 ------------------ 83,178

粗利益率 ------------------ 83,87
合わせ包み（キャラメル包み）
------------------------------- 109
イエス・バット法 ---------- 160
意匠登録制度 ------------------ 54
委託販売 ------------------------ 37
一元管理 ------------------------ 62
一次品質 ------------------------ 50
一般用医薬品 ------------------ 40
遺伝子組換え食品の表示 --- 193
移動販売 ------------------------ 26
医薬品医療機器等法 --------- 40
色温度 -------------------------- 154
インストアシェア ----------- 73
インストアマーキング ----- 94
インバウンド ---------------- 143
インバウンドのマーケティング
------------------------------- 143
内税方式 ---------------------- 103
売上計画 ------------------------ 69
売上原価 ------------- 177,178,183
売上志向 ---------------------- 127
売上総利益 ----------- 177,180,185
売上高 -------------------- 176,185
売場配置計画 ------------------ 70
売れ筋商品 -------------------- 62
営業利益 ---------------------- 180
衛生管理 ---------------------- 191
エコマーク事業（環境ラベリン
グ制度）--------------------- 174
エブリデイロープライス
（EDLP）-------------------- 80
エンターテインメント ----- 128
エンド陳列 ------------------- 118
オープン懸賞プレミアム --- 140
オープン陳列 ---------------- 120
オープンプライス ----------- 125
奥行（デプス）--------------- 66
オムニチャネル -------------- 33
表書き -------------------------- 111

か

会員の募集 ------------------- 132
外商部門 ------------------------ 38
外装 ----------------------------- 107
買回品 --------------------------- 53
価格政策 ------------------------ 78
核店舗 --------------------------- 44
加工食品の品質表示基準 --- 192
過少在庫 ------------------------ 85
過剰在庫 -------------------- 62,85
カットケース陳列 ----------- 118
割賦販売 ---------------------- 165
家庭用品の品質表示 -------- 169
家電リサイクル法 ----------- 173
カラーコーディネート ----- 121
環境影響評価(環境アセスメン
ト)法 ------------------------ 174
環境基本法 ------------------- 173
慣習価格政策 ------------------ 79
寒色 ----------------------------- 155
間接照明 ---------------------- 153
還暦 ----------------------------- 112
関連購買 ------------------------ 65
キーテナント ------------------ 44
喜寿 ----------------------------- 112
期首在庫高 ------------------- 184
期中仕入高 ------------------- 184
キの字 -------------------------- 110
規模のメリット --------------- 38
期末在庫高 ------------------- 184
キャッシャー ---------------- 104
キャッシュレス --------------- 30
キャッシュレス決済 -------- 147
キャンペーン実施計画 ------ 70
業種 ----------------------------- 34
業態 ----------------------------- 34
業務引き継ぎ ---------------- 100
業務マニュアル -------------- 23
均一価格政策 ------------------ 79
金券 ----------------------------- 187
空間コーディネート -------- 121

グッドデザイン賞（デザイン推奨制度） 55
グリーンマーク事業 174
クリンリネス 99
クレーム対応 160
クレジットカード 188
経営資源 68
敬語 158
経常利益 180,181
計数管理 176
景品表示法 170
計量法 169
欠品 62,71
検収 101
検品 58
公益財団法人古紙再生促進センター 174
公益財団法人日本環境協会 174
交差比率 87
後退色 155
交通系 IC カード 147
購買促進策 139
購買代理 15
小売商業調整特別措置法（商調法） 163
コーディネート陳列 119
コーポレートチェーン（CC） 19
ゴールデンライン 116
古希 112
顧客維持政策 128
顧客志向 127
顧客データ 132,133
顧客満足経営 127
顧客満足経営の新3原則 128
顧客誘引の手段 170
国際エネルギースタープログラム 174
個人情報保護法 172
コストプラス法 78
個装 107

固定客化 131
古物営業法 164
コミュニティ型 SC 46
ゴンドラ陳列 116
コンビニエンスストア 41

さ

サービス系 30
在庫管理 58
彩度 154
先入れ先出し陳列 101
サッカー 104
産業構造 137
三次品質 51
サンプル 140
サンプル陳列 120
仕入計画 57,69
仕入原価 177
ジェネリック医薬品 40
色相 154
自主マーチャンダイジング 38
自然増減 136
品ぞろえ計画 100
死に筋商品 61
島（アイランド）陳列 120
社会増減 136
社内間移動物流 76
ジャンブル陳列 119
什器備品 122
集中仕入（セントラルバイング）方式 72
重点照明 153
酒税法 164
準補色 155
商圏 135
商店街 44
商店街振興組合法 163
照度 153
消費期限 169
消費者基本法 172
消費者信用取引 165
消費生活用製品安全法 168

消費税免税店 147
商品回転期間 86
商品回転率（回） 86
商品カテゴリー 60
商品管理 58
商品計画 57,60,65
商品コンセプト 51
商品在庫高 86
商品政策 60,150
商品展開計画 70
正札（通常価格）政策 79
賞味期限 169
ショーウインドウ陳列 121
ショーケース陳列 117
ショートタイムショッピング 150
ショールーミング 31
初期発注 75
食中毒防止の3原則 191
食品衛生法 164
食品表示法 168
食品リサイクル法 174
食糧法 164
ショッピングセンター 44
ショッピングツーリズム 143
所得水準 137
自立の支援 172
人口構成 137
進出色 155
随時仕入 72
推奨商品 132
スイッチ OTC 医薬品 40
スーパーセンター 38
スーパーマーケット 39
ステージ陳列 118
ストアコンセプト 150
ストアデザイン 150
ストレスフリーショッピング 150
スピードくじプレミアム 140
スペースマネジメント 150
スマホ決済 147

生産年齢人口 136
生鮮食品の品質表示基準 192
製造物責任法(PL法) 168
税引前当期純利益 180,181
セグメンテーション 143
接客マナー 158
セルフサービス販売方式 149
セルフセレクション販売方式 149
セルフメディケーション 40
専業(業種)店 35
前進立体陳列 101,119
全般拡散照明 153
全般照明 153
全面改装(リモデリング) 150
専門化 66
専門(業態)店 35
専門品 54
総合化 66
総合品ぞろえスーパー 38
装飾照明 153
ソースマーキング 94
属性データ 132
損益計算書 180

た

ターゲティング 144
大規模小売店舗立地法(大店立地法) 163
対面販売方式 149
大量仕入 72
多言語対応 148
多言語対応ガイドライン 148
棚割 58,73
多品種少品目少量 61
多頻度小口(少量)配送 76
多頻度小口物流 61
ダラーコントロール 86
段階価格(階層価格)政策 79
暖色 155
チェーンオペレーション 21
チェッカー 104

駐車スペース 44
中小小売商業振興法 163
中心市街地活性化法 164
中性色 155
昼夜間人口比率 136
調達物流 76
蝶結び 111
直接照明 153
通信環境整備 148
通信販売 26
定期発注システム 61
定期発注方式 75
ディスプレイ 58,115
定番商品 75
定量発注方式 75
適正在庫 75,85
デジタル系 30
デビットカード 147
電子商取引 29
店舗マネジメント 73
導線計画 150
登録販売者 40
独占禁止法 170
特売商品 132
ドラッグストア 40
トレーサビリティ 192

な

内装 107
斜め合わせ包み 109
斜め包み 109
荷受 58,101
二次品質 51
二重価格表示 171
日本標準商品分類 53
ネイバーフッド型SC 46
値入れ 82
値入高 82,177
値入率 82
値下ロス 178
値付 100
ネットショッピング 30

ネット販売 27
のし 111

は

売価 83,177
売価変更 58
廃棄ロス 178
売買損益 183
ハイ・ロープライス 80
バイングパワー 17,21
白寿 112
派遣店員 37
端数価格政策 79
幅(ワイズ) 66
ハフモデル 135
パブリシティ 139
パワーカテゴリーの配置 151
ハンガー陳列 116
半間接照明 153
半直接照明 153
販売員 158
販売活動の管理 90
販売管理 58
販売計画 68,89
販売効率 86
販売時点情報管理システム 92
販売促進計画 70
販売代理 15
販売物流 76
販売分析 89
販売目標数値 70
比較選択購買 65
ピクトグラム 103
百貨店 37
平台陳列 116
フェイシング 151,152
フック陳列 117
プッシュ戦略 139
物販系 30
物流センター 76
不当景品類の規制 170
不当表示 170

243

部分的改装（リニューアル）
……………………………… 150
不明ロス ……………… 178
部門別計画 ……………… 70
プライス ……………… 125
プライベートブランド（PB）
……………………………… 38
プラノグラム ………… 151
フランチャイザー ……… 19
フランチャイジー ……… 19
フランチャイズチェーン … 19
フリークエント・ショッパーズ・
プログラム（FSP） … 131
プリヴァレッジ ……… 128
プル戦略 ……………… 139
プレイス ……………… 126
プレミアム …………… 140
フロアゾーニング …… 150
フロアレイアウト …… 150
プロダクト …………… 125
プロモーション ……… 125
プロユーザー …………… 39
分割包装 ……………… 110
平均演色評価数 ……… 154
米寿 …………………… 112
壁面陳列 ……………… 121
べた付プレミアム …… 140
編集 …………………… 34
返品物流 ………………… 76
訪問販売 ………………… 26
ホームセンター ………… 39
ポジショニング …… 144,150
補充発注 …………… 58,100
補色 …………………… 155
ホスピタリティ ……… 128
ボックス陳列 ………… 117
ボランタリーチェーン（ＶＣ）
……………………………… 18

ま

マーケットプライス法 …… 78
マーケティング ……… 124

マーケティングの４Ｐ理論
……………………………… 125
マーケティング・ミックス
……………………………… 146
マーチャンダイジング …… 57
マイクロ（パーソナル）・マー
ケティング ………… 124
マイナス・プラス法 …… 160
マクロ・マーケティング … 124
マス・マーチャンダイジング
……………………………… 21
万引き ………………… 189
ミーティング ………… 105
見切価格政策 …………… 79
水引き ………………… 111
無形財 …………………… 15
無彩色 ………………… 154
結び切り ……………… 111
名声価格（プレステージ価格）
政策 …………………… 79
明度 …………………… 154
目標達成 ……………… 100
モバイル決済 ………… 147
最寄品 …………………… 53
モラール ……………… 100

や

薬剤師 …………………… 40
有機農産物の表示 …… 193
有形財 …………………… 15
有彩色 ………………… 155
優良顧客 …………… 129,132
ユニットコントロール …… 86
容器包装リサイクル法 … 173
幼年人口 ……………… 136
預託払戻制度（デポジット・リ
ファンド・システム） … 174

ら

来店促進策 …………… 139
ライリーの法則 ……… 135
らせん型包装 ………… 109

リージョナル型 SC ……… 46
リージョナルプロモーション
……………………………… 139
立地 …………………… 126
履歴データ …………… 132
レギュラーチェーン（RC）
…………………………… 19,38
レジ前陳列 …………… 120
ロイヤルティ …………… 19
老年人口 ……………… 136
ローコストオペレーションシ
ステム ………………… 98
ロス高 ………………… 178
ロスリーダー価格 ……… 80
ロス率 ………………… 178

わ

和式の進物包装 ……… 111
割引価格政策 …………… 79
ワンストップショッピング
…………………………… 38,150

■ユーキャン販売士検定試験研究会

本会は、販売士検定試験対策本の制作にあたって、流通業界で幅広く活躍している著者が集まり、結成されました。

●監修　山口　正浩（やまぐち　まさひろ）

株式会社経営教育総合研究所代表取締役社長。中小企業診断士の法定研修（経済産業大臣登録）講師、経営学修士（MBA）など、経営に関するさまざまな肩書きを持ち、経営戦略やマーチャンダイジング、事業再生を実践する一方、各種企業・地方公共団体にて、経営幹部や営業担当者の能力開発に従事している。代表を務める株式会社経営教育総合研究所は、企業人材の専門会社として、大学・専門学校や金融機関、製造業や流通業などに対して、幹部研修や階層別研修の他に、社内試験の作成・採点・評価を実施している。

著書に『3級販売士最短合格テキスト』『3級販売士最短合格問題集』（かんき出版）、『販売士検定3級重要過去問題 傾向の分析と合格対策』（秀和システム）、『販売士検定2級 図で見て覚える最短合格テキスト』（同文舘出版）など400冊以上の著書・監修がある。

●執筆者（すべて、経済産業大臣登録 中小企業診断士）

渡邉　義一（わたなべ　よしかず）／第1章・第3章
　㈱経営教育総合研究所主任研究員、社会保険労務士、販売士1級、小売システムに精通する。

岩瀬　敦智（いわせ　あつとも）／第4章・第5章
　㈱経営教育総合研究所主任研究員、法政大学大学院IM研究科特任講師。店舗支援に従事。

大友　明弘（おおとも　あきひろ）／第2章
　㈱経営教育総合研究所研究員、外資系金融機関勤務。企業の財務面の支援に従事する。

鍬田　拓郎（くわた　たくろう）／第4章
　㈱経営教育総合研究所研究員、化学メーカーに勤務。品質管理・品質保証等に精通する。

笹村　博之（ささむら　ひろゆき）／第5章
　㈱経営教育総合研究所研究員、情報通信会社勤務。IT支援・店舗改革を中心に活躍中。

柳沢　隆（やなぎさわ　たかし）／第2章
　㈱経営教育総合研究所研究員、社会保険労務士、アパレル企業の経営支援に従事する。

山本　雅夫（やまもと　まさお）／第1章
　㈱経営教育総合研究所研究員、メーカー勤務。子会社の経営支援に携わる。

山本　光康（やまもと　みつやす）／第3章
　㈱経営教育総合研究所研究員、デジタルメディアサービスの新規企画や運用に精通する。

●法改正・正誤等の情報につきましては、下記「ユーキャンの本」ウェブサイト内
「追補（法改正・正誤）」をご覧ください。
　　　https://www.u-can.co.jp/book/information
●本書の内容についてお気づきの点は
・「ユーキャンの本」ウェブサイト内「よくあるご質問」をご参照ください。
　　　https://www.u-can.co.jp/book/faq
・郵送・FAXでのお問い合わせをご希望の方は、書名・発行年月日・お客様のお名前・
　ご住所・FAX番号をお書き添えの上、下記までご連絡ください。
　【郵送】〒169-8682 東京都新宿北郵便局 郵便私書箱第2005号
　　　　　ユーキャン学び出版 販売士検定資格書籍編集部
　【FAX】03-3378-2232
　◎より詳しい解説や解答方法についてのお問い合わせ、他社の書籍の記載内容等に関し
　ては回答いたしかねます。
●お電話でのお問い合わせ・質問指導は行っておりません。

**ユーキャンの販売士（リテールマーケティング）検定3級
速習テキスト&問題集　第5版**

2011年4月28日　初　版　第1刷発行	編　者	ユーキャン販売士検定試験研究会
2013年1月28日　第2版　第1刷発行	発行者	品川泰一
2016年10月27日　第3版　第1刷発行	発行所	株式会社 ユーキャン 学び出版
2020年3月6日　第4版　第1刷発行		〒151-0053
2022年6月10日　第5版　第1刷発行		東京都渋谷区代々木1-11-1
2024年4月5日　第5版　第2刷発行		Tel 03-3378-2226

編　集　　株式会社 エディット

発売元　　株式会社 自由国民社
　　　　　〒171-0033
　　　　　東京都豊島区高田3-10-11
　　　　　Tel 03-6233-0781（営業部）

印刷・製本　　カワセ印刷株式会社

予想模擬試験

解答・解説編

第1回 予想模擬試験　解答・解説……P. 2
第2回 予想模擬試験　解答・解説……P.13

第1回　予想模擬試験　解答・解説

①小売業の類型

（1）	（2）	（3）	（4）	（5）	（6）	（7）	（8）	（9）	（10）
○	×	○	×	×	○	○	×	○	×
（11）	（12）	（13）	（14）	（15）	（16）	（17）	（18）	（19）	（20）
2	4	3	4	1	2	1	3	3	1

②マーチャンダイジング

（21）	（22）	（23）	（24）	（25）	（26）	（27）	（28）	（29）	（30）
○	×	○	○	○	○	×	×	×	×
（31）	（32）	（33）	（34）	（35）	（36）	（37）	（38）	（39）	（40）
1	2	4	1	3	2	1	4	3	2

③ストアオペレーション

（41）	（42）	（43）	（44）	（45）	（46）	（47）	（48）	（49）	（50）
×	○	×	○	○	○	○	×	×	○
（51）	（52）	（53）	（54）	（55）	（56）	（57）	（58）	（59）	（60）
1	4	3	2	2	4	1	1	3	3

④マーケティング

（61）	（62）	（63）	（64）	（65）	（66）	（67）	（68）	（69）	（70）
○	×	×	×	○	×	○	×	×	○
（71）	（72）	（73）	（74）	（75）	（76）	（77）	（78）	（79）	（80）
4	2	3	1	3	1	2	1	3	2

⑤販売・経営管理

（81）	（82）	（83）	（84）	（85）	（86）	（87）	（88）	（89）	（90）
○	○	○	×	×	○	×	×	○	×
（91）	（92）	（93）	（94）	（95）	（96）	（97）	（98）	（99）	（100）
4	3	1	2	4	1	3	1	4	2

①小売業の類型

解答	(1)	(2)	(3)	(4)	(5)	(6)	(7)	(8)	(9)	(10)
	○	×	○	×	×	○	○	×	○	×

解説

（1）　ガソリンスタンドは、燃料小売業とよばれます。⇒1章　LESSON 1

（2）　加盟店同士がつながりを持ち、相互に助成し合うのは、ボランタリーチェーンの特徴です。⇒1章　LESSON 2

（3）　仕入や棚割、広告、運営マニュアルなどを本部が集中管理します。⇒1章　LESSON 2

（4）　マス・マーチャンダイジングでは、低利益・高回転による大量仕入と多量販売を実施します。⇒1章　LESSON 3

（5）　売場を回って商品を集めて配送するネットスーパーは、店舗型です。⇒1章　LESSON 4

（6）　VRは仮想世界に現実の人間の動きを反映させる技術です。ARは現実の世界の一部に仮想の世界を反映させる技術です。⇒1章　LESSON 5

（7）　業態では、店舗運営や品ぞろえ、販売方法などの経営方法の違いで小売業を分類します。⇒1章　LESSON 6

（8）　百貨店の仕入先や販売方法は店舗ごとに独立しています。⇒1章　LESSON 7

（9）　総合品ぞろえスーパーは、衣食住の日常商品をフルラインで品ぞろえしています。⇒1章　LESSON 7

（10）　小売業の店舗面積が1,500㎡以上であることを、ショッピングセンターの基準の一つとしています。⇒1章　LESSON 8

解答	(11)	(12)	(13)	(14)	(15)	(16)	(17)	(18)	(19)	(20)
	2	4	3	4	1	2	1	3	3	1

解説

(11) 小売業などの流通業が、消費財メーカーと共同で開発するのは【プライベート】ブランド（PB）商品です。⇒1章　LESSON 1

(12) 複数の店舗が共同で大量仕入することで仕入単価が安くなるのは【規模の経済性】です。⇒1章　LESSON 2

(13) 本部と各店舗が同一の資本で結びついているのは、【レギュラー】チェーンです。⇒1章　LESSON 2

(14) 「単一資本で【11】店以上の店舗を直接、経営管理する小売業、または飲食業の形態」と定義しています。⇒1章　LESSON 3

(15) 消費者がウェブサイト上で意思表示をすることにより取引をする販売形態は、【通信販売】です。⇒1章　LESSON 4

(16) 実店舗を商品の展示室のように利用し、ネット通販で購入する買物スタイルを【ショールーミング】といいます。⇒1章　LESSON 5

(17) 経済産業省では、コンビニエンスストアの営業時間を【14時間以上】と定義しています。⇒1章　LESSON 7

(18) 登録販売者になるためには、【都道府県】が実施する試験に合格する必要があります。⇒1章　LESSON 7

(19) 自然発生的に商業施設が集まって形成された商業集積は、【商店街】です。
⇒1章　LESSON 8

(20) 規模が小さい商業集積ほど、【最寄品】の店舗が中心です。
⇒1章　LESSON 8

②マーチャンダイジング

解答	(21)	(22)	(23)	(24)	(25)	(26)	(27)	(28)	(29)	(30)
	○	×	○	○	○	○	×	×	×	×

解 説

(21)　物財だけでなく、サービスや権利も商品になります。⇒2章　LESSON 1

(22)　商品の機能の程度である性能が高ければ、より高い満足を得ることができます。⇒2章　LESSON 2

(23)　マーチャンダイジングでは、品ぞろえ業務と販売業務を繰り返します。
　⇒2章　LESSON 3

(24)　PDCAサイクルは、計画（Plan）→実行（Do）→評価（Check）→改善（Action）のサイクルです。⇒2章　LESSON 4

(25)　商品構成の差別化により、ターゲット顧客にとって買いやすい店舗になります。⇒2章　LESSON 5

(26)　販売計画を先に作成すると、売れる分だけ仕入れる状況になります。
　⇒2章　LESSON 6

(27)　大量仕入より少量仕入れる随時仕入は、大量仕入より発注回数が増えます。
　⇒2章　LESSON 7

(28)　定量発注方式と定期発注方式は、補充発注の方式です。⇒2章　LESSON 8

(29)　商品回転率は、年間売上高を商品在庫高（売価）で割って求めます。
　⇒2章　LESSON 11

(30)　POSシステムには、単品管理ができるようになるという特徴があります。
　⇒2章　LESSON 13

解答	(31)	(32)	(33)	(34)	(35)	(36)	(37)	(38)	(39)	(40)
	1	2	4	1	3	2	1	4	3	2

解 説

(31) 洋服であれば、流行性や【ブランド】の評価が三次品質に相当します。
⇒2章　LESSON 1

(32) 比較的高価で、いくつかの店舗を回って品質や価格などを比較・検討して購入する商品は、【買回品】です。⇒2章　LESSON 2

(33) マーチャンダイジングでは、最初に【商品計画】を策定します。
⇒2章　LESSON 3

(34) 商品構成において、品種を【商品カテゴリー】といいます。
⇒2章　LESSON 4

(35) 品ぞろえの幅を広げることを、商品構成の【総合化】といいます。
⇒2章　LESSON 5

(36) いつ、どの商品を、どのように売っていくかの計画は、【商品展開計画】です。
⇒2章　LESSON 6

(37) 本部で商品を一括して仕入れ、それを各店舗に配荷する方式は、【集中仕入】（セントラルバイング）方式です。⇒2章　LESSON 7

(38) 消費者（顧客）への商品の受け渡しの物流は、【販売物流】です。
⇒2章　LESSON 8

(39) 販売分析で活用する内部の情報には、【POSデータ】などがあります。
⇒2章　LESSON 12

(40) 標準13桁のJANコードのうち、左から9桁または7桁が【JAN企業（メーカー）コード】（国コード2桁含む）です。⇒2章　LESSON 13

③ストアオペレーション

解答	(41)	(42)	(43)	(44)	(45)	(46)	(47)	(48)	(49)	(50)
	×	○	×	○	○	○	○	×	×	○

解説

(41)　掃除中に顧客が近づいてきたら、手を止めて挨拶します。
⇒3章　LESSON 1

(42)　セルフチェックアウト・システムにより、レジ係の負担を減らすことができます。⇒3章　LESSON 1

(43)　店内の表示物に破損や汚れがあったら、すぐに交換や清掃をします。
⇒3章　LESSON 1

(44)　内装は、商品個々の包装である個装を外部圧力から守ります。
⇒3章　LESSON 2

(45)　斜め包みは、丈夫に美しく手早く包める包装の基本です。
⇒3章　LESSON 2

(46)　キャラメル包み（合わせ包み）は、箱を回転させることができない場合でも包むことができます。⇒3章　LESSON 2

(47)　悲しみの涙で墨の色が薄くなったことを表現しています。
⇒3章　LESSON 2

(48)　商品の補充に無駄な時間をかけないことは、ディスプレイの評価基準の一つです。⇒3章　LESSON 3

(49)　ゴンドラの中で最も顧客の目につき、手に取りやすい位置はゴールデンラインです。⇒3章　LESSON 3

(50)　前出しは、奥の商品を前に出す作業です。⇒3章　LESSON 3

解答	(51)	(52)	(53)	(54)	(55)	(56)	(57)	(58)	(59)	(60)
	1	4	3	2	2	4	1	1	3	3

解 説

(51) 乱れた商品を整え、不要なものを取り除くのは、【整理】です。
⇒3章　LESSON 1

(52) 【EOS】は、補充発注システムのことです。⇒3章　LESSON 1

(53) 買上商品を包装または袋詰めするレジ係の役割は、【サッカー】です。
⇒3章　LESSON 1

(54) 異なる組織間のデータ交換では、標準ルールである【プロトコル】を定める
必要があります。⇒3章　LESSON 1

(55) 「包装とは、物品の輸送、保管などにあたって、価値および状態を保護する
ために適切な材料、容器などを物品に施す技術および施した状態」と規定してい
るのは【JIS】（日本産業規格）です。⇒3章　LESSON 2

(56) 箱などを包装紙の中心に斜めに置いて、包装紙の4つの角を立ちあげて包む
方法は【スクエア包み】（ふろしき包み）です。⇒3章　LESSON 2

(57) 和式進物包装で、品物が【魚】のときは、かけ紙にのしをつけません。
⇒3章　LESSON 2

(58) 商品の入っているダンボール箱を切り込み、商品が入ったまま積み上げるの
は、【カットケース陳列】です。⇒3章　LESSON 3

(59) 商品をガラスケース内などに陳列し、販売員が取り出して顧客に見せるのは、
【ショーケース陳列】です。⇒3章　LESSON 3

(60) 左右対称に陳列する空間コーディネートは、【シンメトリー構成】（対称構成）
です。⇒3章　LESSON 3

④マーケティング

解答	(61)	(62)	(63)	(64)	(65)	(66)	(67)	(68)	(69)	(70)
	○	×	×	×	○	×	○	×	×	○

解説

(61)　マーケティングは、激しく変化する市場環境の中で、顧客に満足をもたらし、競争に勝ち残っていくための活動です。⇒4章　LESSON 1

(62)　小売業のマーケティングは、自店商圏内の特定少数顧客を標的とするマイクロ（パーソナル）・マーケティングです。⇒4章　LESSON 1

(63)　顧客の願いをかなえ、感動を与えるような従業員の行動は、エンターテインメントです。⇒4章　LESSON 2

(64)　「来店頻度が上位2割の顧客が、店舗全体の利益の8割を生む」という「2：8の法則」が知られています。⇒4章　LESSON 3

(65)　地理的範囲は店舗までの距離が何km以内などで表し、時間的範囲は店舗までの所要時間が何分以内などで表します。⇒4章　LESSON 4

(66)　見本品や試供品は、サンプルです。⇒4章　LESSON 5

(67)　販売員が商品の使用を実演しながら販売します。⇒4章　LESSON 5

(68)　訪日外国人の旅行は、インバウンド旅行です。⇒4章　LESSON 6

(69)　出口近くのレジで一括集中精算をするのは、セルフサービス販売の特徴です。⇒4章　LESSON 7

(70)　補色の組み合わせは印象が強くなります。⇒4章　LESSON 8

解答	(71)	(72)	(73)	(74)	(75)	(76)	(77)	(78)	(79)	(80)
	4	2	3	1	3	1	2	1	3	2

解 説

(71) 特定多数の顧客を対象として、顧客の満足を目的とする考え方は、【マーケティング志向】です。⇒4章　LESSON 1

(72) 品種ごとに1～2品目程度の商品に売れ行きが集中するのは、【ガリバー型売れ行き現象】です。⇒4章　LESSON 1

(73) 行きつけのレストランで眺めのよい席に案内されるのは、【プリヴァレッジ】による顧客満足です。⇒4章　LESSON 2

(74) 自店の売上や利益への貢献度により特典に差をつけるのは【公平化】の政策です。⇒4章　LESSON 3

(75) その都市に周辺都市から消費者が流れてくる範囲は、【都市の商圏】です。⇒4章　LESSON 4

(76) インストアマーチャンダイジング（購買促進策）は、【プット戦略】ともいわれます。⇒4章　LESSON 5

(77) 【販売促進策】は、インストアプロモーションといわれます。⇒4章　LESSON 5

(78) 「商品に関するディスプレイ、サインなどで、広告商品が販売される小売店の内部またはその建物に付属して利用されるすべての広告物」は、【POP広告】です。⇒4章　LESSON 5

(79) 売場で待機している販売員が、顧客に呼ばれたときに横に付き添い、顧客からの質問に応える販売方式は、【側面販売】方式です。⇒4章　LESSON 7

(80) 特定のディスプレイや商品を目立たせるのは、【重点照明】です。⇒4章　LESSON 8

⑤販売・経営管理

解答	(81)	(82)	(83)	(84)	(85)	(86)	(87)	(88)	(89)	(90)
	○	○	○	×	×	○	×	×	○	×

解　説

(81)　顧客の話すことを肯定で受けることで、顧客に安心感を与えます。
　⇒5章　LESSON 1

(82)　謙譲語Ⅰは自分の行為をへりくだって、会話内の第三者に敬意を表します。
　⇒5章　LESSON 1

(83)　売買契約の売り手には商品を引き渡す義務があり、買い手には代金を支払う義務があります。⇒5章　LESSON 2

(84)　取引価額1,000円未満の場合の総付景品最高額は200円です。
　⇒5章　LESSON 3

(85)　パソコンは、家電リサイクル法（特定家庭用機器再商品化法）の対象ではありません。⇒5章　LESSON 4

(86)　買上客数は「入店客数×買上率」、客単価は「買上点数×1品当たり平均単価」で求められます。⇒5章　LESSON 5

(87)　在庫日数は、「在庫高（売価）÷1日当たりの平均売上高」で求めます。
　⇒5章　LESSON 6

(88)　売上原価は、その期に売り上げた商品の原価です。⇒5章　LESSON 7

(89)　管理が行き届いていない売場は、販売員の目配りが行き届いていないことを意味し、万引きされやすくなります。⇒5章　LESSON 8

(90)　農林規格であるJAS規格に合格したもののみ、有機農産物としての表示が可能になります。⇒5章　LESSON 9

解答	(91)	(92)	(93)	(94)	(95)	(96)	(97)	(98)	(99)	(100)
	4	3	1	2	4	1	3	1	4	2

| 解 説 |

(91) 「申し訳ございません」などで使用する最敬礼のお辞儀の角度は、【45度】です。
⇒5章　LESSON 1

(92) 会話の相手を高めて直接敬意を表す敬語は、【尊敬語】です。
⇒5章　LESSON 1

(93) 米穀類販売業を開始する場合、【農林水産大臣への届出】が必要です。
⇒5章　LESSON 2

(94) 劣化が速い食品では、【消費期限】の日付表示が必要です。
⇒5章　LESSON 3

(95) 古紙を【40%】以上利用した製品と承認されたものに、グリーンマークが付与されます。⇒5章　LESSON 4

(96) 売価を引き下げたことによるロスは、【値下ロス】です。⇒5章　LESSON 5

(97) 「支払う人」と「納める人」とが違う税金は、【間接税】です。
⇒5章　LESSON 5

(98) 売上高100,000円－売上原価40,000円＝【売上総利益】60,000円です。
⇒5章　LESSON 7

(99) 金券の振出人の当座預金口座から、金券に書かれている金額分の現金を減額し、金券を銀行に持参した人に同額の現金を渡すのは、【小切手】です。
⇒5章　LESSON 8

(100) 加工食品に危害を与える要因を予測し、重要な管理点を特定して予防・対処する衛生管理手法として、【HACCP】があります。⇒5章　LESSON 9

第2回　予想模擬試験　解答・解説

①小売業の類型

（1）	（2）	（3）	（4）	（5）	（6）	（7）	（8）	（9）	（10）
×	×	×	○	○	×	×	○	×	○
（11）	（12）	（13）	（14）	（15）	（16）	（17）	（18）	（19）	（20）
1	2	4	3	3	1	3	4	1	2

②マーチャンダイジング

（21）	（22）	（23）	（24）	（25）	（26）	（27）	（28）	（29）	（30）
○	×	×	×	×	×	○	○	○	×
（31）	（32）	（33）	（34）	（35）	（36）	（37）	（38）	（39）	（40）
3	1	2	4	1	4	3	2	2	1

③ストアオペレーション

（41）	（42）	（43）	（44）	（45）	（46）	（47）	（48）	（49）	（50）
×	○	×	×	○	×	×	×	○	○
（51）	（52）	（53）	（54）	（55）	（56）	（57）	（58）	（59）	（60）
4	1	2	3	1	2	4	1	3	3

④マーケティング

（61）	（62）	（63）	（64）	（65）	（66）	（67）	（68）	（69）	（70）
×	○	○	×	○	×	×	○	×	○
（71）	（72）	（73）	（74）	（75）	（76）	（77）	（78）	（79）	（80）
4	1	3	4	3	2	3	4	1	1

⑤販売・経営管理

（81）	（82）	（83）	（84）	（85）	（86）	（87）	（88）	（89）	（90）
○	×	×	○	○	○	×	×	×	○
（91）	（92）	（93）	（94）	（95）	（96）	（97）	（98）	（99）	（100）
4	2	3	1	4	3	1	2	4	1

①小売業の類型

解答	(1)	(2)	(3)	(4)	(5)	(6)	(7)	(8)	(9)	(10)
	×	×	×	○	○	×	×	○	×	○

解 説

（1） 自店で製造した商品をその場所で個人または家庭用消費者に販売する製造小売業の事業所は、小売業に分類されます。⇒1章　LESSON 1

（2） チェーンストアの店舗では、標準化された販売活動をすることで、低コストによる店舗運営（ローコストオペレーション）を実現します。⇒1章　LESSON 2

（3） メーカー主宰や卸売業主宰のものがあるのは、ボランタリーチェーンです。
⇒1章　LESSON 2

（4） 業務マニュアルによりオペレーションを標準化すると、地域ごとに異なるニーズに対応できなくなります。⇒1章　LESSON 3

（5） 自動車の小売業など、訪問販売が多く行われている小売業は、店舗販売の割合が少ないです。⇒1章　LESSON 4

（6） EC化率は、実店舗を含む全商取引金額に対する電子商取引金額の割合です。
⇒1章　LESSON 5

（7） 広義の専門店は「取扱商品において、特定の分野が90％以上を占める非セルフサービス（対面販売）店」と経済産業省が定義しています。
⇒1章　LESSON 6

（8） 取扱品目の拡大とともに、ホームセンターの店舗規模も拡大しています。
⇒1章　LESSON 7

（9） 一般的なスーパーマーケットは、食品の取扱構成比が70％を超える専門スーパーです。⇒1章　LESSON 7

（10） キーテナントは、核店舗ともいわれます。⇒1章　LESSON 8

解答	(11)	(12)	(13)	(14)	(15)	(16)	(17)	(18)	(19)	(20)
	1	2	4	3	3	1	3	4	1	2

解 説

(11)　小売業には、消費者に代わって【購買代理】する役割と、消費財メーカーに代わって販売代理する役割とがあります。⇒1章　LESSON 1

(12)　ナショナル（全国）チェーンやリージョナル（広域）チェーンは、【商圏規模】による分類です。⇒1章　LESSON 2

(13)　チェーンの本部が加盟店から毎月受け取る経営指導料は【ロイヤルティ】です。⇒1章　LESSON 2

(14)　画一的な多店舗展開を進行するのは、チェーンストア本部の【店舗開発】機能です。⇒1章　LESSON 3

(15)　既存店舗を活用する店舗型ネットスーパーには、【参入が容易】という特徴があります。⇒1章　LESSON 4

(16)　複数の販売経路や顧客接点を連携して顧客の利便性を高め、多様な購買機会を作り出すことを【オムニチャネル】といいます。⇒1章　LESSON 5

(17)　ドラッグストアは、自分で健康管理を行う【セルフメディケーション】を推進することによって、化粧品店と差別化しています。⇒1章　LESSON 7

(18)　COOP（消費生活協同組合）は、【消費者】である組合員が出資を行う協同組合です。⇒1章　LESSON 7

(19)　スーパーマーケットやドラッグストアなどを組み合わせた近隣型のショッピングセンターは、【ネイバーフッド】型SCです。⇒1章　LESSON 8

(20)　「1つの単位として計画、開発、所有、管理運営される商業・サービス施設の集合体で【駐車場】を備えるもの」とショッピングセンターを定義しています。⇒1章　LESSON 8

②マーチャンダイジング

解答	(21)	(22)	(23)	(24)	(25)	(26)	(27)	(28)	(29)	(30)
	○	×	×	×	×	×	○	○	○	×

解 説

(21)　例えば冬の洋服なら「着て暖かい」などが一次品質です。
　⇒2章　LESSON 1

(22)　最寄品は、住居に比較的近いところで、時間や労力をかけずに購入します。
　⇒2章　LESSON 2

(23)　チェーンストアで棚割表を作成するのは本部です。⇒2章　LESSON 3

(24)　小売店が商品を発注してからその店舗に届くまでの時間はリードタイムです。⇒2章　LESSON 4

(25)　商品の品種（商品カテゴリー）構成を品ぞろえの幅（ワイズ）といい、品目（アイテム）構成を品ぞろえの奥行（デプス）といいます。⇒2章　LESSON 5

(26)　どの部門をどの売場に配置するかの計画は、売場配置計画です。
　⇒2章　LESSON 6

(27)　品切れした商品の陳列スペースを売場担当者の判断で他の商品で埋め合わせると、他の従業員が品切れを見過ごす可能性があります。⇒2章　LESSON 7

(28)　多頻度小口（少量）配送によって、メーカーや卸売業の物流コストは上昇します。⇒2章　LESSON 8

(29)　エブリデイローブライスは、EDLP（恒常的超低価格政策）ともいわれます。
　⇒2章　LESSON 9

(30)　JANコードを製造・出荷段階で商品包装に直接印刷する方法は、ソースマーキングです。⇒2章　LESSON 13

解答	(31)	(32)	(33)	(34)	(35)	(36)	(37)	(38)	(39)	(40)
	3	1	2	4	1	4	3	2	2	1

解 説

(31)　商品の持つ概念や主張は、【商品コンセプト】です。⇒2章　LESSON 1

(32)　日本標準商品分類は、【総務省】の所管です。⇒2章　LESSON 2

(33)　主に【定番商品】の在庫が少なくなったら、補充するために補充発注します。
⇒2章　LESSON 3

(34)　コンビニエンスストア各店舗では、主要な商品カテゴリーの【ノー検品】の
荷受態勢がとられています。⇒2章　LESSON 4

(35)　幅が広く、奥行が浅い品ぞろえの商品構成を【B&S型】といいます。
⇒2章　LESSON 5

(36)　商品計画の次に【販売計画】を立案します。⇒2章　LESSON 6

(37)　仕入担当者を、【バイヤー】といいます。⇒2章　LESSON 7

(38)　消費者の値頃感を重視した価格設定法は、【マーケットプライス法】です。
⇒2章　LESSON 9

(39)　（5,000円－3,000円）÷5,000円×100＝【40%】です。⇒2章　LESSON 10

(40)　POSデータを利用して、各種の情報管理や分析を行うコンピュータは、【ス
トアコントローラ】です。⇒2章　LESSON 13

③ストアオペレーション

解答	(41)	(42)	(43)	(44)	(45)	(46)	(47)	(48)	(49)	(50)
	×	○	×	×	○	×	×	×	○	○

解説

(41) 作業のロスや経費のロスを減らすのは、ローコストオペレーションです。
⇒3章　LESSON 1

(42) EDIでは、注文書や請求書などの書類をコンピュータに置き換えます。
⇒3章　LESSON 1

(43) 先入れ先出し陳列では、日付の古い商品から先に補充します。
⇒3章　LESSON 1

(44) 朝礼では、経営方針や前日の業務引き継ぎ事項などの重要事項を、短時間で確認します。⇒3章　LESSON 1

(45) 包装には、商品の保護に加えて、売りやすさや買いやすさを高める役割もあります。⇒3章　LESSON 2

(46) 慶事の進物の箱を包装紙で包む場合の包み終わりは、右側を上にする右前にします。⇒3章　LESSON 2

(47) 商品の角でひもを結ぶことが、ひもがゆるまなくなるコツです。
⇒3章　LESSON 2

(48) 小売店の業態や業種によって、見やすさと触れやすさの範囲は異なります。
⇒3章　LESSON 3

(49) コーディネート陳列では、併用すると便利な複数の商品を組み合わせます。
⇒3章　LESSON 3

(50) 商品が横にはみ出さないように仕切り板を利用してスペースを確保する必要があります。⇒3章　LESSON 3

解答	(51)	(52)	(53)	(54)	(55)	(56)	(57)	(58)	(59)	(60)
	4	1	2	3	1	2	4	1	3	3

解説

(51)　商品などの保管場所を決めて片づけるのは、【整頓】です。
⇒3章　LESSON 1

(52)　検収では、発注書と【納品書】と商品とを照合します。⇒3章　LESSON 1

(53)　一般案内用図記号検討委員会が定めた絵文字体系に、【ピクトグラム】があります。⇒3章　LESSON 1

(54)　商品の保管や内容表示、輸送に必要な梱包の包装は【外装】です。
⇒3章　LESSON 2

(55)　慶事の和式進物包装の水引きは、【紅白】または金銀にします。
⇒3章　LESSON 2

(56)　【結婚】のように、繰り返されないでほしい慶事の和式進物包装の水引きは、結び切りにします。⇒3章　LESSON 2

(57)　数え年99歳の長寿祝いを、【白寿】といいます。⇒3章　LESSON 2

(58)　店舗の入口付近で、店外を歩く顧客に商品をアピールするのは、【ショーウインドウ】陳列です。⇒3章　LESSON 3

(59)　ハンガーに掛けて商品の袖を見せるディスプレイは、【スリーブアウト】です。
⇒3章　LESSON 3

(60)　上半身ボディマネキンは、【トルソー】です。⇒3章　LESSON 3

④マーケティング

解答	(61)	(62)	(63)	(64)	(65)	(66)	(67)	(68)	(69)	(70)
	×	○	○	×	○	×	×	○	×	○

解 説

(61) 多品種を少量ずつ販売するのは、小売業のマーケティングです。
⇒4章　LESSON 1

(62) 販売志向では、商品と代金の交換活動を行い、商品販売時点で活動が完結します。⇒4章　LESSON 1

(63) 同質化競争では、価格競争になりやすいです。⇒4章　LESSON 2

(64) FSPには、優良顧客の満足度を高め、固定客化するねらいがあります。
⇒4章　LESSON 3

(65) マクロレベルで出店都市や地域を絞り、マイクロ（ミクロ）レベルで出店立地を決めます。⇒4章　LESSON 4

(66) リージョナルプロモーションの３Ｐ戦略は、プル戦略、プッシュ戦略、プット戦略です。⇒4章　LESSON 5

(67) 人的販売は、販売促進策（プッシュ戦略）の一つです。⇒4章　LESSON 5

(68) 海外に持ち出すことを前提に、インバウンドの買物については、消費税が免税されます。⇒4章　LESSON 6

(69) 現在の売場を否定し、新しい売場にするのは、改革です。
⇒4章　LESSON 7

(70) 白・灰・黒を無彩色といいます。⇒4章　LESSON 8

解答	(71)	(72)	(73)	(74)	(75)	(76)	(77)	(78)	(79)	(80)
	4	1	3	4	3	2	3	4	1	1

解 説

(71)　メーカーが希望小売価格を提示せず、小売店が市場価格を判断し、売価を設定するのは、【オープンプライス】です。⇒4章　LESSON 1

(72)　小売業のマーケティングでは、来店率と購買率を上げて、【顧客シェア】を拡大します。⇒4章　LESSON 1

(73)　顧客中心で顧客の期待する内容やレベルを上回る商品やサービスを提供するのは、【思考型販売】です。⇒4章　LESSON 2

(74)　顧客データのうち、【問合せ】は履歴データに区分されます。
　　⇒4章　LESSON 3

(75)　既存の出店エリア内やその周辺に、高密度で多店舗出店するのは、【エリアドミナント出店】（地域集中出店）戦略です。⇒4章　LESSON 4

(76)　小売店や商品が、雑誌やテレビなどの記事・ニュースとして、原則的に無料で採用される来店促進策は、【パブリシティ】です。⇒4章　LESSON 5

(77)　POP広告には、【買上点数】を増やす目的があります。⇒4章　LESSON 5

(78)　少量で割安の特別品を用意する値引き方法は、【お試しサイズ】です。
　　⇒4章　LESSON 5

(79)　ゴンドラの最前列に並べる単品の配分スペース（個数）を決めるのは、【フェイシング】です。⇒4章　LESSON 7

(80)　【LED照明】には、「省電力」「長寿命」「熱線や紫外線が少ない」という特徴があります。⇒4章　LESSON 8

⑤販売・経営管理

解答	(81)	(82)	(83)	(84)	(85)	(86)	(87)	(88)	(89)	(90)
	○	×	×	○	○	○	×	×	×	○

解 説

(81) 顧客側の錯誤の場合でも、店にとっての最善の方法を選択し対応します。
⇒5章　LESSON 1

(82) 「召し上がる」は、「食べる」の尊敬語です。⇒5章　LESSON 1

(83) 薬局を開業する場合、都道府県知事の許可を受けます。⇒5章　LESSON 2

(84) コーデックス委員会は、国際食品規格委員会のことです。
⇒5章　LESSON 3

(85) ダンボールは、容器包装リサイクル法施行前から円滑なリサイクルが進んでいました。⇒5章　LESSON 4

(86) 税込価格8,800円÷（1＋税率10％）×税率10％＝800円です。
⇒5章　LESSON 5

(87) 商品回転率の数値が高いほど、効率的に売上につながっていることを示します。⇒5章　LESSON 6

(88) 当期の期末在庫高は、次期の期首在庫高になります。⇒5章　LESSON 7

(89) デビットカードで支払った場合、代金は即時に口座から引き落とされます。
⇒5章　LESSON 8

(90) 従業員一人ひとりが食中毒防止の3原則を徹底します。⇒5章　LESSON 9